KB152108

TEXTBOOK OF ABSORBABLE THREAD LIFTING

실리프팅 테크닉

저자 **강승훈 · 노봉일 · 윤성재**

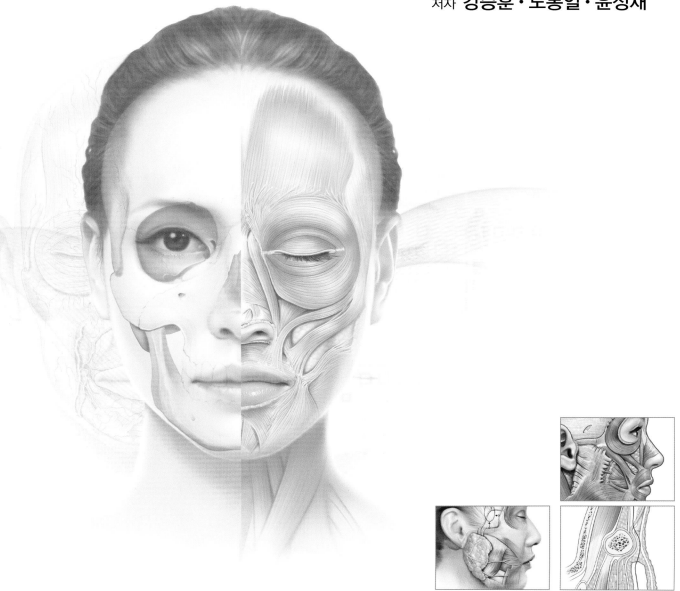

군자출판사

실리프팅
테크닉

첫째판 1쇄 인쇄 | 2018년 1월 3일
첫째판 1쇄 발행 | 2018년 1월 10일

저 자	강승훈, 노봉일, 윤성재
발 행 인	장주연
기 획	조은희
편 집 디 자 인	군자편집부
표 지 디 자 인	김재욱
일 러 스 트	이호현
제 작	신상현
발 행 처	군자출판사(주)

등록 제 4-139호(1991. 6. 24)
본사 (10881) **파주출판단지** 경기도 파주시 회동길 338(서패동 474-1)
전화 (031) 943-1888   팩스 (031) 955-9545
홈페이지 | www.koonja.co.kr

© 2018년, Textbook of Absorbable Thread lifting / 군자출판사(주)
본서는 저자와의 계약에 의해 군자출판사(주)에서 발행합니다.
본서의 내용 일부 혹은 전부를 무단으로 복제하는 것은 법으로 금지되어 있습니다.

* 파본은 교환해 드립니다.
* 검인은 저자와의 합의하에 생략합니다.

ISBN 979-11-5955-247-2
정가 180,000원

실리프팅
테크닉

TEXTBOOK OF ABSORBABLE THREAD LIFTING

저자

강승훈

- 봄여름가을겨울피부과의원 대표원장
- 피부과 전문의
- 인제대학교 의과대학 졸업
- 대한항노화연구회 학술이사
- 대한윤곽교정학회 학술이사
- 前대한피부과의사회 학술위원

노봉일

- 글로비성형외과의원 대표원장
- 성형외과 전문의
- 순천향대학교 의과대학 졸업
- 前대한성형외과학회 최소침습성형연구회 기획이사
- 前대한성형외과의사회 상임이사
- 前대한성형외과학회 최소침습 성형연구회 회장

윤성재

- 리더스피부과의원 압구정점 대표원장
- 피부과 전문의
- 서울대학교 의과대학 졸업
- 대한피부항노화 연구회 교육이사
- 성균관대학교 의과대학 외래부교수

머리말

실리프팅의 역사는 1980년대 후반부터 시작된 Aptos lift를 시작으로 이후 40여년의 세월 동안 지속적으로 개선, 발전되어 왔다. 하지만 그 오랜 역사 동안 실리프팅은 의사들뿐 아니라 일반인들에게도 그리 대중적인 시술이 되지 못했다. 그러던 중 10년 전 한국에서 시작된 Polydioxanone (PDO)을 이용한 녹는실 리프팅이 시작되면서부터 조직의 단순한 거상이 아닌 조직의 자극과 재생이라는 새로운 개념의 리프팅이 대중화되면서 실리프팅은 새로운 전기를 맞게 되었다.

저자들은 녹지않는 실과 녹는 실 리프팅을 모두 경험해오면서 그 차이와 장단점에 대해 많은 경험을 쌓게 되었다. 그렇지만 아직까지도 녹는 실 리프팅의 이론적 배경과 그 실체적인 테크닉에 대해 연구나 논문의 발표는 아직까지 많지 않은 것이 현실이다. 외국에 발표를 가거나 한국에서 외국의사들을 만나보면 그들은 한국의 녹는 실리프팅에 지대한 관심을 가지고 있으면서 다른 한편으로는 그 과학적인 근거와 논문, 또는 교과서적인 책을 본적이 없어 시술의 본질에 대한 의구심 또한 가지고 있음을 느끼곤 했다.

이에 저자들은 한국뿐만 아니라 전세계적으로 실리프팅이라는 하나의 학문으로 발전할 수 있는 녹는실 리프팅의 초석을 시작하는 의미에서 이 책을 저술하고자 하였다. 생각보다 많은 시간과 노력이 들어갔지만 돌이켜 보면 아직도 많이 부족하리라 생각한다. 책을 집필하는 2년의 시간동안 많은 발전과 변화를 느끼기도 하였다. 하지만 이것이 우리들의 시작이라 생각하고 추후에는 더욱더 많은 내용으로 보완하고 채워나갈 예정이다.

이 책은 저자들의 개인적인 경험과 시술 테크닉 보다는 모두가 시술 가능하며 비슷한 결과를 만들어 낼 수 있는 객관적이고 일반적인 테크닉을 설명하고자 하였다. 또한 술기 수준에 따라 Mono실만을 사용할 수도 있고 추후 경험이 쌓인다면 Cog실을 병합하여 사용하는 방법까지 초보자부터 숙련자까지 배려하여 수준별로 설명하였다. 무엇보다 실제 다양한 실제 임상례를 최대한 많이 다루어 현실적인 시술법에 익숙해 질 수 있도록 노력하였다.

이 책이 나올 수 있도록 물심양면으로 도와주신 군자출판사 장주연 대표님, 이호현 과장, 조은희 대리에게 감사드리고 우리가 개원가에서 열심히 일할 수 있도록 도와주시는 은사님과 동료 선후배님들에게 감사의 인사를 드리고 싶다. 아무쪼록 이 책이 녹는실 리프팅의 학문적 발전에 조금이나마 기여하기를 바란다.

저자 강승훈, 노봉일, 윤성재

추천사

"기초부터 학습까지…
실리프팅 시술의 정석이자 교본"

임이석

국내에 실리프팅 시술이 시작된 지 10년이 넘었다. 그 동안 많은 실리프팅 저서들이 출간 되었지만 지금까지 실리프팅 시술에 대해 A부터 Z까지 전반적인 내용을 자세히 서술한 책은 없었다.

이 책은 실을 이용한 시술에 대해서는 기본적인 내용부터 다양한 시술법까지 그 동안의 실 시술을 하며 얻은 노하우가 모두 담겨있다. 따라서 실리프팅 시술을 하고자 하는 의사들에게는 입문을, 이미 시술을 하고 있는 선생님들에게는 그 동안 해결되지 못했던 궁금증을 해결해 주는 실시술의 바이블이라고 생각한다.

내가 오래전부터 알고있는 저자들은 실리프팅에 대한 오랜 경험과 폭넓은 의학지식을 가지고있고 이를 토대로 획일적인 주름치료법이 아닌 각 부위에 따라 시술법이 어떻게 다른지를 생생하게 전달하고 있다. 또한 세명의 저자는 각자 실시술의 서로 다른 견해와 방법을 통합하여 녹는 실 시술에 대한 새로운 패러다임을 제시하고 있다.

또 기존의 다른 많은 저서들과 달리 지루하지 않게 실감나는 실제사례와 경험들을 담아낸 것이 흥미롭고, 저자의 연구결과 및 실제 조직소견, 임상경험 등 실리프팅 시술 관련 모든 것을 담은 것이 인상적이다.

특히 시술법이 다양해지고 시술이 대중화될수록 그에 따른 부작용도 증가하기 마련인데, 부작용을 줄이기 위한 시술 시 주의점과 처치방법 등 정말로 중요한 문제들을 심도 깊게 다루었다. 이렇듯 최근의 임상연구결과와 다양한 시술법, 부작용 예방과 처치 등 실리프팅에 관해 가장 알고 싶은 것들을 담은 이 책은 독자들에게 '믿을 수 있는 최상의 가이드북'이 될 것으로 믿어 의심치 않는 바이다.

임이석테마피부과의원 대표원장
피부교정치료학회 회장
탈모치료학회 회장
前대한피부과의사협회 회장
前대한피부레이저학회 감사

차례

차례

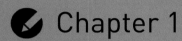

Chapter 1

실 리프팅의 역사와 이론적 배경

Section 1   역사와 이론적 배경

SECTION 1

역사와 이론적 배경

늘어진 피부나 주름을 개선하기 위해서 여러 가지 수술이나 박피, 레이저·고주파시술 등이 시행되어 왔고 지금도 그 수술방법이 발전하고 있다. 특히 레이저, 고주파, 초음파 등의 기술 발전된 제품들이 빠른 주기로 출시되고 있다.

수술은 효과는 좋지만 혈종, 신경손상, 수술흉터 같은 부작용이 있을 수 있고 회복기간 길어 상당기간 사회활동이 어렵다. 또한 비교적 고난이도의 술기가 필요해 접근성이 어렵다는 단점이 있다. 레이저나 고주파, 초음파를 이용한 주름 개선 방법은 비교적 부작용이 적고 술기가 쉬운 편이다. 회복기간도 짧은 편이라 사회활동 복귀에 용이하지만, 수술에 비해 치료 효과가 떨어지고 고가의 장비를 구입해야 하는 단점이 있다.

이에 반해 실 리프팅은 '적은초기비용, 빠른 사회복귀, 환자의 높은 만족도, 부작용최소화'라는 많은 이점으로 주름개선 시술에 자주 이용되고 있다.

리프팅에 사용되는 실 중에 녹지 않는 비흡수성 봉합사를 이용한 실 리프팅은 오래 전부터 시행되었지만 그 효과와 지속기간에 대한 논란으로 많이 시술되지는 않는 편이었다(transcutaneous face lift). 그러던 중 2002년도 미국성형외과학회지(Plastic & Reconstructive surgery)에 Dr. Gordon Sasaki가 고어텍스 실을 이용한 실 리프트 방법을 발표했고 제품화된 실이 국내에 유통되기도 했지만 여러가지 문제로 이 수술 방법이 많이 사용되지는 않았다. 이렇게 실에 조작하지 않은 단순한 봉합사에 의한 실 리프팅 방법은 오래 전부터 시술해 왔지만 많이 시술되지 못했다.

그러던 중 국내에 실을 이용한 리프팅이 유행하기 시작한 것은 가시(barb,cog)가 있는 실을 이용한 방법이 소개된 후이다.

가시가 있는 실을 이용한 실 리프팅은 1990년대 초에 Dr. Ruff에 개발하였고 1990년 후반에 Dr. Sulamanidze가 발

그림 1-1. APTOS Lift®

전시켜 1999년에 세계특허를 얻고 2001년에 논문을 발표한 후 세계적으로 인정받게 되고 유행하게 된다(그림 1-1). 단방향의 가시가 있는 실을 이용한 봉합은 1964년 Al Camo가 보고하였다. 양방향의 가시가 있는 실을 이용한 봉합은 1967년 Alan McKenzie가 보고 하였다.

이렇게 양방향 가시가 있는 10 cm 정도의 비흡수성 실을 이용한 리프팅을 방법을 "압토스리프팅(APTOS lift: meaning antiptosis)"이라고 부른다.

2004년에 Contour threads (Featherlift Extended Aptos Length Threads)가 미국 식품의약국(FDA)으로부터 가시가 있는 실을 이용한 안면리프팅 및 봉합 허가를 받았지만, 한국 식품의약품안전처(KFDA)의 허가는 받지 못해 사용할 수 없었다.

2003년 무렵 압토스 실 리프팅방법이 국내에 소개되면서 가시가 있는 실을 이용한 방법이 처음으로 유행하게 되지만 서양인에 비해 두껍고 무거운 특징을 가진 동양인피부는 리프팅 효과가 적을 수밖에 없었다. 또한 광대뼈가 발달된 특성 때문에 팔자주름개선을 위한 양방향 가시의 영향으로 광대뼈가 더 커져 보이게 되는 단점이 있었다.

그래서 단단한 조직에 걸어 전체적으로 늘어진 조직을 리프팅 하는 방법에 관심 갖게 된다. 탄성이 있는 실과 특수한 기구를 이용하는 방법으로 2004년에 불가리아 Dr. Serdev의 "Suture suspension for lifting" 방법이 국내에 소개 되지만 그가 사용한 실은 국내허가를 받지 못했고, 그 효과 또한 오랫동안 유지되지 않아 유행되지 못했다.

이후 고정형 방법을 위한 실들이 몇 가지 나오지만 만족스럽지 못한 효과 때문에 많이 사용되지 않았다. 그 이유는 루프(loop)를 만들어 조직을 당겨 올리는 고정형 방법의 실들이 표정근육의 움직임의 영향과 조직이 중력방향 아래로 처지는 힘으로 조직을 파고들어서 조직을 잡고 있는 힘이 떨어지기 때문이라고 생각된다(cheese wiring effect). 이 문제를 해결하기 위해서 루프에 추가로 가시(barbed)를 실에 만들어 늘어진 조직을 전체적으로 당겨 올려서 고정하는 방법을 고안해서 시행되기도 했었다.

그러다가 2007년에는 가시가 아닌 특수한 원뿔(Cone)을 비흡수성 봉합사에 고정하여 조직을 리프팅을 해주는 실루엣리프트® (Silhouette lift®)가 국내에서 사용할 수 있게 된다. 리프팅 효과가 좋고 지속 기간도 비교적 긴 편이긴 했지

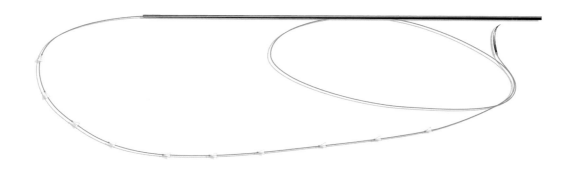

그림 1-2. **실루엣 리프트®**

만 두피에 절개를 해야 하는 수술 술기의 어려움과 상대적으로 비싼 재료비 때문에 대중화 되지 못했다(그림 1-2).

가시가 있는 긴 비흡수성 봉합사를 이용해 두피절개가 필요 없는 리프팅방법이 사용되기 시작한 것은 2007년 국내 제품허가를 받은 직후이다. 하지만 많은 실을 넣어야 하며, 측두부 심부근막에 고정해야하는 술기적 어려움 및 녹지 않는 실이라는 단점으로 이 역시 유행하지는 못했다.

기존에는 녹지 않는 실이 추세였지만 2010년대부터 녹는 실을 이용한 실 리프팅 방법이 각광을 받기 시작한다. 그 중에 가시가 없는 폴리다이옥산논(PDO, polydioxanone) 실을 바늘에 연결해서 피하층에 주입하는 방법이 한국에서 폭발적으로 유행하기 시작한다. 폴리다이옥산논 실을 이용한 방법은 저렴한 재료비, 짧은 시술시간, 빠른 회복력이 있었지만 고정형 방법에 비해 리프팅 효과가 작고 유지기간 짧다는 단점이 있었다. 이를 극복하기 위해 2012년경 부터는 10-15 cm 길이의 '가시가 있는 녹는 실'을 사용하여 비고정형 방법(floating type)으로 실 리프팅을 하게 된다.

이후에 40 cm 이상의 긴 가시가 있는 실을 이용하여 고정형 방법으로도 리프팅을 하게 되는데, 저자들 중 노봉일 원장(글로비성형외과)은 copolymer of glycolic acid and trimethylene carbonate 성분의 긴 가시가 있는 '녹는 실을 이용한 고정형 실 리프팅' 경험을 2013년 9월 중국 최소침습성형학회에서 발표한다. 이후에도 다양한 종류의 녹는 실들이 개발되어 판매되고 있다.

가시가 있는 실은 2013년부터 새롭게 만들어지고 있는데, 기존의 방법과 같이 가시를 칼로 깎아서 만든 것이 아니라 실을 몰딩해서 만드는 방식이다.

최근에는 저온 열처리 하에 금형틀로 찍어서 가시를 만든 실까지 나와 있는 상태이다. 이 실은 기존의 몰딩실에 비해 가시가 더 많기 때문에 조직을 강하게 당기는 장점이 있다고 생각된다.

실이 발전해온 역사로 보아 실을 이용한 리프팅은 효과의 지속기간에 한계가 있다. 녹는실은 안면거상술이 필요할 나이가 될 때까지, 반복적인 시술이 가능하기 때문에 이상적인 리프팅실이라 생각되며, 그 외에 늘어진 조직을 당겨 올리는 효과를 높이기 위해서는 몰딩형태의 강한 가시를 여러 개 가진 실을 이용해 흡수가 늦게 진행되는 재료로 만든 실이 도움이 될 것이라 생각된다.

[참고문헌]

1. Meloplication of the Malar Fat Pads by Percutaneous Cable-Suture Technique for Midface Rejuvenation: Outcome Study(392 Cases, 6 Years' Experience. Plastic & Reconstructive Surgery. 09/2002: 110(2):635-54
2. Technique and uses for absorbable barbed sutures. Aethet Surg 2006:26:620-628
3. Suture suspensions for lifting or volume augmentation in face and body, presented at the 2nd annual meeting of the national Bulgarian society for aethetic surgery and awthetic medicine, Sofia, 18, March 1994, Int J Aesth Cosm, 2001,1:1, 2561-2568
4. Facial lifting with APTOS threads. Int J Cosmetic Surg Aethetic Dermatolo 2001;4:275-281
5. "Waptos lift"-Dr. Woffles, Nonsurgical face lifting with long barbed suture slings: The Woffles lift. Journal fur Aesthetische Chirurgie 1.2013.6:13-20

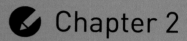

Textbook of
Absorbable
Thread
Lifting

Chapter 2

실 리프팅을 위한 해부학적 배경

SECTION 1

얼굴의 층(Layer)

얼굴은 피부부터 뼈까지 여러 층으로 구성되어 있으며 가장 많이 쓰이는 분류법은 Mendelson 등이 사용하는 얼굴의 5층 분류이다. 얼굴은 표면부터 피부, 얕은지방층(superficial fat), SMAS (superficial musculoaponeurotic system)를 포함한 근육층, 깊은지방층(deep fat), 뼈의 순서로 나누어 볼 수 있다. 하지만 일부 얼굴 근육들은 SMAS 보다 표면에 위치하기도 하고 깊이 위치하기도 한다. 또한 많은 근육들은 뼈에서 기원하여 피부로 기시하기도 하는 등 다양한 주행을 가지기 때문에, 위에서 언급한 5층의 분류가 항상 맞는 것은 아니다.

실 리프팅을 할 경우에 중요한 구조는 바로 근막(fascia) 층이다. 얼굴의 근막은 크게 얕은근막(superficial fascia)과 깊은근막(deep fascia)으로 나뉘어진다.

얼굴의 얕은 근막은 SMAS이며 이것은 이하선(parotid gland)쪽에서는 두껍지만 앞쪽으로 갈수록 점점 얇아진다. SMAS는 아래쪽으로는 넓은목근(platysma muscle)과 연결되어 있고 위쪽으로는 얕은관자근막(superficial temporal fascia)으로 연결되어 있다.

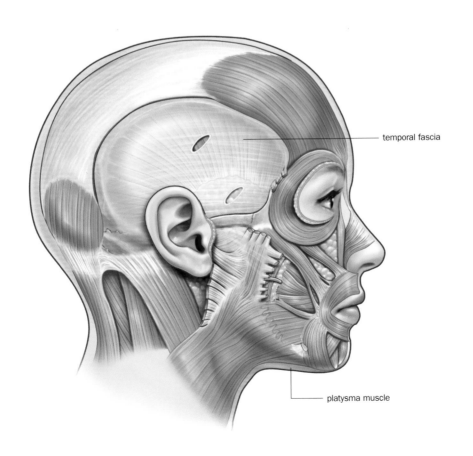

temporal fascia

platysma muscle

그림 2-1. 안면근육

얼굴의 깊은근막은 교근(masseter muscle)을 감싼 부위는 masseteric fascia라 불리며, 이하선을 감싸고 있는 부위는 parotid fascia 혹은 parotid capsule이라 부른다. 또한 이 둘을 합쳐서 parotid masseteric fascia 또는 parotidomasseteric fascia 라 부르기도 한다. 이러한 깊은 근막은 목쪽으로는 목빗근(sternocleidomastoid, SCM)을 덮고 있는 깊은경부근막(deep cervical fascia)과 이어지며 위쪽으로는 관자근(temporalis muscle)을 덮고 있는 깊은관자근막(deep temporal fascia)으로 이어진다.

이 얼굴의 얕은근막과 깊은근막은 얼굴의 일부 부위에서 서로 잘 연결되어 있는데 보통 지지인대(retaining ligament)가 있는 부위가 그러한 결합 부위이다. 실 리프팅 시에 실이 지나가는 부위 중에 이하선이나 관골(zygoma)의 아래쪽 부위, 교근의 앞쪽 경계와 같은 부위는 이러한 얕은근막과 깊은근막이 단단히 붙어있는 부위이다. 그래서 실 리프팅을 위한 트로카(troca)나 굵은 바늘 등이 이 부위를 지나면 저항감이 느껴지고 잘 들어가지 않는 것이다.

또한 얕은근막은 이하선의 바깥쪽 넓은목근의 뒤쪽경계를 따라 아래쪽으로도 깊은근막과 단단한 결합을 가지는데, 이 같은 부위는 사람에 따라 다양한 이름으로 불린다(그림 2-1). Furnas와 Mendelson은 이 부위를 platysma auricular ligament라 불렀고 Stuzin은 parotid cutaneous ligament라고 불렀다. 이 부위는 명칭이 어떻든 간에 귀 아래쪽에서 짧은 돌기실로 연조직들을 걸어주는 고정부위가 되기에 임상적으로 의의가 있다.

이러한 근막은 코그형 실 리프팅에서 실이 걸리게 되어 지지력을 유지하는 중요한 부위이다. 우리가 긴 실을 이용해 관자쪽에 실을 고정하는 부위는 관자깊은근막이며 얼굴의 중안면부에서 보통 실이 걸리는 부위는 얕은근막의 전후가 된다.

SECTION 2

혈관(Vasculature) 및 신경(Nerve) 구조

얼굴의 혈관, 신경, 침샘 등 중요한 구조들은 지방과 근육지지인대 사이에 위치하고 있다. 필러에 비하면 실 리프팅은 피부괴사나 시각합병증과 같은 심각한 부작용을 유발하지는 않지만 너무 표면에 실이 위치하여 울퉁불퉁한 변형을 초래하거나 시술 후 실이 돌출되는 부작용을 가져올 수 있다. 또한 이하선을 관통하여 실이 위치하게 되면 침이 새어나오는 등의 후유증을 가져올 수 있기에 해부학에 대한 기본적인 개념을 반드시 가지고 있어야 한다.

필러 시술 시 혈관 내에 필러가 들어가지 않도록 얼굴동맥(facial artery)과 안와상동맥(supraorbital artery), 활차상동맥(supratrochlear artery), 얕은관자동맥(superficial temporal artery) 등의 위치를 숙지하고 있는 것이 중요하지만, 실 리프팅 시에도 적은 출혈로 붓기와 멍을 줄이기 위해 혈관의 위치를 아는 것이 도움이 된다.

하지만 관자에 고정하는 코그실을 걸 때 종종 마주치는 얕은관자동맥(superficial temporal artery)은 주로 바깥쪽 눈썹보다 더 외측위로 지난다고 알려져 있지만 실제로는 그 변이가 다양하여 주변 구조물과의 위치관계만으로 주행을 확인하기는 어렵다.

따라서 얕은관자동맥은 굵고 피부쪽에서 촉지할 경우 펄스를 느낄 수 있기 때문에 고정식 코그를 사용할 때 고정하는 지점 부위에 손가락으로 밑에 혈관이 있는지 확인하는 것이 좋다. 얕은관자동맥은 SMAS에 거의 둘러싸여서 얼굴의 위안쪽(superomedial)으로 주행하며 눈썹 바깥쪽 부위를 지나며 점점 표층으로 올라와 얼굴의 중앙 근처에서

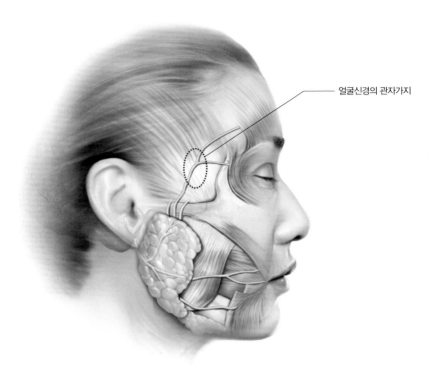

그림 2-2. 얼굴신경의 관자가지

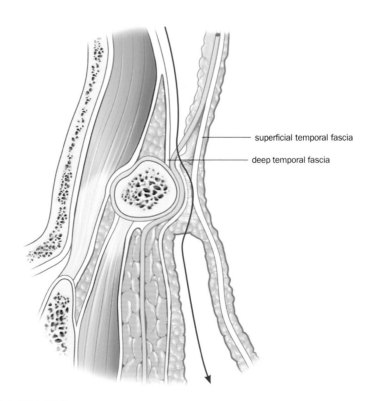

그림 2-3. 이상적인 실의 주행방향(그림 내 화살표 참조)

는 이마근의 표면으로 주행하게 된다. 이러한 얕은관자동맥은 안와상동맥(supraorbital artery), 활차상동맥(supratrochlear artery)과 약 절반정도 케이스에서 문합하며 아케이드를 형성한다.

실 리프팅을 시행할 경우 코그가 없는 PDO 실이나 짧은 코그실을 넣는 경우에는 거의 피하지방 층으로 실이 들어가기 때문에 신경손상을 걱정할 필요가 없다. 앞에 얼굴의 층 부분에서 이미 언급했듯이 얼굴 신경은 대부분 깊은근막 보다 깊이 위치하고 있기 때문이다.

하지만 한 가지 걱정을 하는 것은 관자에 고정하는 긴 코그실을 사용할 경우이다. 관자에 긴 코그실을 고정하는 부위는 술자에 따라 차이가 있지만, 깊은관자근막에 실을 고정하는 경우에는 캐뉼라나 트로카가 얼굴신경의 관자가지(temporal branch)가 위치하는 얼굴의 얕은근막과 깊은근막 사이로 지나갈 수 있다(그림 2-2, 2-3). 이러한 경우 물론 캐뉼라나 트로카로 인한 얼굴신경의 손상을 걱정할 수 있지만, 생각보다 이 신경 손상은 그리 쉽게 발생하지 않는다.

그 첫 번째 이유는 부드럽고 천천히 시술하면 어느 정도 조직사이에 위치한 신경이 캐뉼라나 트로카 끝을 피해갈 수 있기 때문이며, 두 번째 이유는 얼굴신경의 관자가지는 실제로는 끝으로 갈수록 많은 가닥으로 갈라지기 때문에 작은 한두 가지가 손상되었다고 임상적으로 크게 문제가 발생하지 않기 때문이다.

실제로 안면거상술(facelift)을 하다가 이 신경을 손상시키는 경우는 어느 정도 케이스 보고가 있어왔지만 실 리프팅을 위해서 트로카나 캐뉼라를 넣은 경우에서 이 신경을 손상시켰다는 케이스 보고는 없는 상태이다. 그렇기 때문에 비침습적인 실 리프팅 시술에 있어서 신경 손상까지 걱정할 필요는 없다.

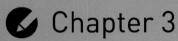

Textbook of
Absorbable
Thread
Lifting

Chapter 3

실의 분류와 종류

SECTION 1

실의 재료별 분류

일반적으로 봉합사는 인체 내에서 흡수 여부에 따라 흡수사(absorbable)와 비흡수사(non-absorbable)로 나눠지고, 재료에 따라 자연사(natural)와 합성사(synthetic)로 구분할 수 있다. 또한 구성하는 섬유 개수에 따라 단섬유(monofilament)와 다섬유(multifilament) 실로 구분된다.

본 장에서는 현재 녹는실 시술에 가장 많이 사용되고 있는 폴리다이옥산논(polydioxanone, PDO)을 중심으로 기타 여러 흡수사들의 특성을 간략히 소개 하려고 한다.

1. Catgut
순수 결체 조직(대부분 콜라겐)에서 분리한 합성이 아닌 자연 흡수사이다. 하지만 장력과 매듭의 안정성이 떨어지고, 조직반응이 강해 최근에는 잘 사용되지 않는다.

2. Polyglycolic acid
합성 흡수사 중 처음 나온 제품이다. 단섬유(monofilament)와 꼬인(braided)형태로 모두 제작이 가능하다. 이 실의 장력은 체내에 들어온 후 7일째에 89%로 감소하고, 14일째는 63%, 21일째에는 17%로 감소한다. 가수분해(hydrolysis) 과정에 의해 흡수가 이루어지며, 90-120일 사이에 완전히 체내에서 흡수가 된다. 장력이 비교적 좋고 매듭의 안정성이 뛰어나다.

3. Polyglatic acid
Lactide 와 glycolide의 공중합체(copolymer)로 이루어진 실이다. 여기에 합성 윤활제 코팅이 되어 있으며 꼬인(braided) 형태로 만들어졌다. 실의 장력은 2주 후 65%로 감소하고, 3주 후 40%로 감소한다. 가수분해에 의해 흡수가 되며 60-90일 사이에 완전히 흡수가 된다.

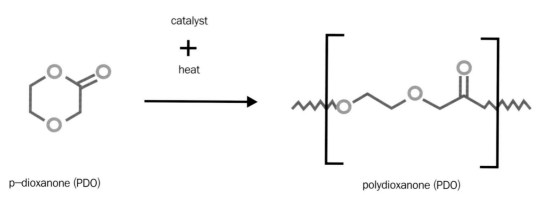

p-dioxanone (PDO)   polydioxanone (PDO)

그림 3-1. polydioxanone의 화학 구조식

4. Polydioxanone

합성단섬유(synthetic monofilament) 실이다. 화학적으로는 ether-ester 유닛들이 무수히 반복하는 중합체(polymer)형태로 구성 되어있다(그림 3-1).

가수분해 과정에 의해 흡수가 되며, 최종 산물은 소변으로 배출되거나, CO_2형태로 호흡 등으로 배출된다. 체내에 실이 들어온 후 2주 후면 장력이 처음에 비해 74%로 감소하고, 4주째에는 50%, 6주째에는 25%로 감소한다. 180일 이내에 완전히 흡수가 되며, 단섬유(monofilament)이기 때문에 체내 염증반응이 적게 일어나며, 가성비가 뛰어나므로 현재 녹는 실 리프팅 시 가장 많이 사용되어지고 있다. 가수분해에 의해 흡수되는 실은 수분이 있는 환경에서 분해가 일어나기 때문에 포장이 개봉된 상태의 실은 빨리 사용하는 것이 좋으나, 사용하고 남은 실을 보관할 때에는 최대한 수분이 없는 환경에서 보관해야 한다.

5. Polytrimethylene carbonate

합성 단섬유 실로 glycolide와 trimethylene carbonate의 공중합체(copolymer)로 구성 되어 있다. 이 실은 polydioxanone 처럼 장력이 뛰어나고 조직반응이 적은 장점을 가지고 있으며, 거기에 polydioxanone에 비해 실이 60% 정도 유연하게 움직이므로 시술 시 조작이 편리한 장점이 있다.

장력은 14일째 81%, 28일째 59%, 42일째 30%로 감소하며 가수분해 과정을 거쳐 체내에서 흡수가 되고, 180-210일이 지나야 완전히 흡수 된다. 하지만 다른 흡수사에 비해 비싼 단점이 있다.

SECTION 2

실의 형태별 분류

여기에서는 녹는실을 형태적으로 분류해 보고자 한다. 상기에 있는 표와 같이 돌기의 유무, 실을 회전시키거나, 여러 가닥을 뭉쳐놓은 구조적인 변형, 재료적인 변형 등의 관점에서 실을 분류해 보았다.

우선 크게 실의 표면에 변형을 가하지 않아 표면이 매끄러운 실과, 표면에 돌기 등의 요철 구조물이 있는 까끌까끌한 표면의 실로 구분이 가능하다.

돌기가 없는 실은 바늘에 실을 직접 집어넣어서 만든 단순 형태와 구조적으로 혹은 재료적인 변형을 가했느냐에 따라 세분해 보았다(그림 3-2).

2-1. 돌기가 없는 실(Non-barbed)

1. 단순 돌기 없는 실(Simple, Plain, Mono PDO thread) (그림 3-5)

녹는 실을 일정 길이로 잘라 일부를 바늘 속에 집어넣고, 바늘 끝 부위에서 접어서 스펀지 등으로 고정 시킨 형태의 실이다. 제품에는 바늘의 굵기, 바늘의 길이, 실의 길이 등이 표시되어 있고, 사용하고자 하는 용도에 맞춰 적절한 실을 골라 사용하면 된다.

한 가닥이 들어있는 실을 가장 많이 사용하지만 바늘에 두 줄 이상의 실이 삽입 되어진 실들도 사용이 되고 있다.

2. 구조적/재료적 변형이 된 실(Modified thread)

1) 구조적 변형이 된 돌기가 없는 실

(1) 회전(Twisted) (그림 3-3)

단순 돌기 없는 실을 바늘 속에 삽입한 후, 바깥쪽을 코일 모양으로 감아놓은 방식의 실이다. 모양이 마치 회오리 치는 모양 비슷하여 일명 회오리/토네이도/허리케인 실로 불리기도 한다.

(2) 다가닥(Multi) (그림 3-6)

바늘 하나에 두 가닥 이상의 실을 집어넣어 만든 방식의 실로, 단순 및 회전 형태 모두 있다. 변형된 형태로 실 두 세가닥을 꼬아서 한 줄의 실을 만들어서 바늘에 삽입하여 제작된 실들도 있다.

(3) 그물망(Mesh) (그림 3-4)

PDO실을 그물망 형태로 만들어 놓은 실로, 피부와 접촉하는 단면적이 넓어져서 피부 재생 시술(rejuvenation) 시 유리하다.

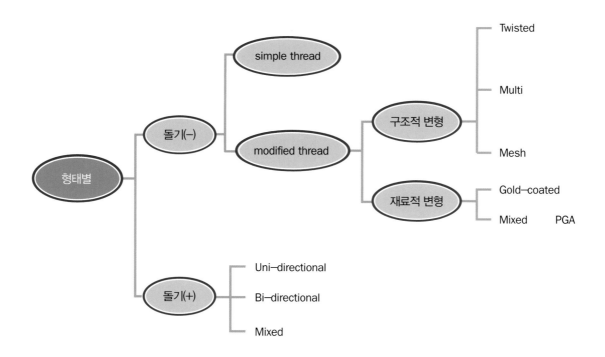

그림 3-2. 실의 형태에 따른 분류

그림 3-3. 회전(Twisted)

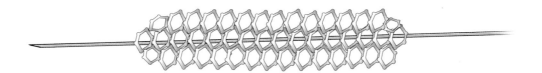

그림 3-4. 그물망(Mesh)

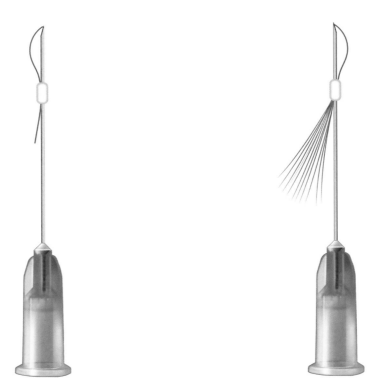

그림 3-5. 단순돌기없는 실   그림 3-6. 다가닥(Multi)

2) 재료적 변형이 된 돌기가 없는 실

(1) 금을 입힌 실(Gold-coated)

PDO실 표면에 나노 코팅(nano coating)기술을 이용하여 체내에서 흡수가 되는 금을 입힌 제품이다. Masakazu 등이 발표한 논문에 의하면 비흡수사를 사용하기는 했으나, 금을 입힌 실이 돌기실을 넣은 경우에 비해 7개월에 걸쳐 점진적으로 콜라겐 생성이 많이 되는 것을 확인한 바 있다.

금코팅이 되어있는 실은 일반 PDO실에 비해 안색이 맑아지는 효과와 콜라겐 생성에 의한 미세 잔주름 제거 효과를 더 기대할 수 있으나, 표층에 삽입 된 상태에서 1064 nm Q스위치 Nd-Yag 레이저를 이용한 레이저 토닝 시 과민반응으로 색소침착 등의 부작용이 발생할 수 있으므로 토닝시술 전 금실시술여부를 확인한 후 주의해서 시술 하여야 한다.

(2) PDO, PGA성분의 혼합

PDO 성분의 실과 PGA 성분의 실을 꼬아서 새로운 가닥의 실을 만든 후 바늘에 삽입한 종류의 실이다. PGA가 조금 더 염증반응을 많이 일으키므로, 이후 콜라겐 합성이 더 많이 되리라는 의도로 만들어진 실이다. 이렇게 실이 만들어 지면, 단섬유(monofilament)에 비해 염증반응이 심하게 발생할 수 있다는 것을 알고 시술을 하여야 하며, 아직은 추가적인 임상 연구와 경험이 많이 필요하리라 생각되어지는 실이다.

2-2. 돌기가 있는 실

1. 돌기의 방향에 따라

1) 단방향 돌기(Unidirectional barbed thread) (그림3-7)

돌기가 있는 실을 만드는 첫 번째 방법은 돌기의 방향을 한 방향으로 하여 만드는 것이다. 단방향 돌기의 실을 일부를 바늘 속에 집어넣고, 바늘 끝 부위에서 접어서 일부는 바늘 바깥쪽에 고정 시킨 형태의 실이 초기에는 사용되

그림 3-7. 단방향 돌기 실

그림 3-8. 양방향 돌기 실

었으나, 단독 시술 시 고정이 되지 않아 리프팅 효과가 없어 최근에는 양방향 돌기와 다방향 돌기의 실이 주로 사용되고 있다.

다른 방법으로 피부에 바늘로 구멍을 뚫고, 단방향 돌기의 실을 약간 비스듬한 방향으로 두 가닥 집어넣은 후 집어넣은 입구부위에서 두 가닥의 실을 묶은 후에 피부안쪽에 집어넣는 방식으로 사용할 수도 있다.

2) 양방향 돌기(Bidirectional barbed thread) (그림3-8)

양방향 돌기 실은 실의 돌기의 방향이 양방향으로 되어있는 형태의 실이다. 돌기가 있는 실 중 현재 녹는 실 리프팅 시술시 가장 흔하게 사용 되는 형태의 실로, 돌기 부위의 중심을 향해 양방향으로 돌기가 나 있는데, 리프팅 시술 시에는 돌기 부위가 마주보는 형태의 실을 많이 사용하며, 돌기가 반대방향으로 마주보고 있는 실을 사용하기도 한다.

3) 다방향/복합 돌기(Multidirectional/Mixed barbed thread) (그림 3-9)

이런 종류의 실로는 돌기의 방향이 양방향의 돌기가 여러 번 반복되는 형태의 실과, 돌기를 서로 반대방향으로 엇박자 형태로 만들어 놓은 형태의 실 등이 있다. 이러한 형태의 실은 양방향 돌기 실과 비교했을 때, 이동(migration)이 일어날 가능성이 낮기 때문에 이러한 성질을 이용하여 단독 혹은 양방향 실과 복합 하여 시술을 하게 된다.

2. 돌기의 제작법에 따라

1) 컷팅(cutting) 형태 (그림 3-10)

돌기실을 만드는 첫 번째 방법은 실의 표면을 미세하게 컷팅을 하여 돌기를 만드는 방법이다. 이 방법은 돌기를 쉽게 만들 수 있는 장점이 있으나, 실 표면에 깎여진 부분이 있는 만큼 원사 대비 인장강도가 약간 떨어지는 단점이 있다.

그림 3-9. 다방향/복합 실

그림 3-10. 컷팅형태의 실

돌기의 기하학적 구조(Barb geometry)

Ruff Gregory는 돌기의 모양이 실의 유지력(holding strength)과 인장 강도(tensile strength)에 영향을 미친다고 하였다. 이 논문에서 Ruff Gregory는 실을 깊게 잘라 돌기를 깊숙하게 만들수록 실 자체의 인장 강도(tensile strength)는 감소하며, 돌기의 배열이 일렬로 나있는 것 보다는 회전이 되면서 있는 형태가 실이 피부 조직을 잘 붙들어 주는데 도움이 된다고 하였다.

또한 Jeffrey Zaruby 등은 돌기의 개수가 많고, 돌기 부위가 넓고, 두껍고, 수직으로 배열되어 있을수록 돌기부위가 꺾이지 않고 잘 유지된다고 보고했다.

2) 주조(molding) 형태 (그림 3-11)

커팅 형태의 돌기실은 원사의 인장강도가 떨어지는 단점이 있다. 이를 보완하기 위해 최근에는 원사를 깍지 않고 특수 형태의 금형을 이용해, 외부에서 강한 압력을 줘서 돌기 부위 이외의 부분을 압축하는 방식으로 제작되고 있다. 이 과정에서 열처리가 이루어지는 경우가 있는데, 고온으로 열처리가 이루어지면 실 자체의 인장강도가 감소하게 되므로 열처리가 최소한으로 이루어진 제품이 좋은 인장강도를 갖게 된다는 점을 고려하여 제품을 선택하여야 한다.

그림 3-11. **몰딩형태의 실**

[참고문헌]

1. Kurita M, Matsumoto D, Kato H, Araki J, Higashino T, Fujino T, Takasu K, Yoshimura K. Tissue reactions to cog structure and pure gold in lifting threads: a histological study in rats. Aesthet Surg J. 2011 Mar;31(3):347-51.
2. Ruff G., Technique and uses for absorbable barbed sutures. Aesthet Surg J. 2006 Sep-Oct;26(5):620-8.
3. Zaruby J, Gingras K, Taylor J, Maul D., An in vivo comparison of barbed suture devices and conventional monofilament sutures for cosmetic skin closure: biomechanical wound strength and histology. Aesthet Surg J. 2011 Feb;31(2):232-40.

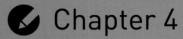

Textbook of
Absorbable
Thread
Lifting

Chapter 4

시술 전 준비

SECTION 1

상담

실 리프팅을 받길 원하는 환자들과 상담할 때 가장 중요한 것은 환자들의 기대치가 어느 정도인지 파악하는 것과, 실제 시술을 했을 때 효과가 어느 정도일지 예측하는 것이다.

기대치가 너무 높은 환자의 경우, 좋은 결과가 나오더라도 실망하는 하는 경우가 있다. 이는 아직까지 실 리프팅이 보편화되지 못하여 그 호전의 정도와 시술경우를 많이 보지 못했기 때문이다. 상담 시 반드시 환자의 얼굴을 손으로 거상하며 미리 시뮬레이션하고 어느 방향이 가장 이상적인 리프팅 라인이 될지 확인하여야 한다.

결론적으로 시술 전 자세한 상담을 통해, 환자의 기대치를 파악하고 시술의 현실적인 결과 예측치와 잘 부합시키도록 노력하여야 한다. 그러므로 임상적응증을 감별하는 것이 무엇보다 중요하다 아래에 각각의 경우로 구분되어진 표를 참조하여 결과를 예측하거나 상담하는데 도움이 될 것으로 생각된다(표 4-1).

표 4-1. 실리프팅 시술 예측 요소

시술하기 좋은 경우	시술하기 어려운 경우
나이가 어린 경우(30-40대)	나이가 많은 경우(50-60대)
피부가 비교적 얇은 경우	피부가 비교적 두꺼운 경우
광대가 작은 경우	광대가 큰 경우
볼 살이 없는 경우	볼 살이 많은 경우
사각턱이 작은 경우	사각턱이 큰 경우
턱선에 관심이 많은 경우(V 라인을 만들고자 하는 경우)	입가 주름, 마리오넷 라인을 개선하고자 하는 경우

SECTION 2

촬영

임상사진을 촬영할 때 각각 정면과 좌우 45도의 각도에서 사진을 촬영해 보관한 뒤, 시술 후 사진과 비교하는 것이 좋다. 이때 조명과 각도가 달라지지 않도록 유의한다(그림 4-1).

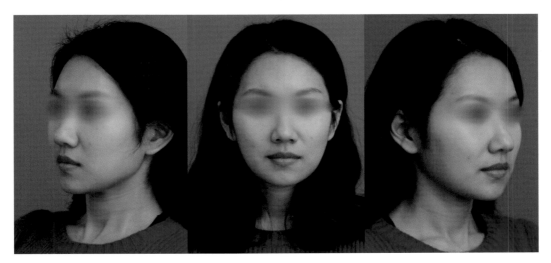

그림 4-1. 실리프팅 시술 전 사진촬영 예시(정면, 좌우 45도)

SECTION 3

시술 준비

1) 시술 자세

통상적으로는 바로누워있는 앙와위 자세(supine position)를 기본으로 하지만 저자들의 경우에는 목을 신전시키고 상체를 약간 뒤로 눕히는 자세(extended neck trendelenburg position)로 시술할 것을 추천한다(그림 4-2). 그 이유는 중력에 의해 이 자세가 되었을 때 이미 자연스러운 리프팅 방향으로 조직들이 자리를 잡고 있어 가볍게 고정하는 느낌으로 시술을 하여도 좋은 결과를 만들 수 있기 때문이다.

또한 일반적인 자세로 시술할 경우 야기할 수 있는 과도한 견인과 시술 후 얼굴이 옆으로 퍼져보이는 다소 어색한 얼굴형과 표정 등의 부작용을 줄여줄 수 있다.

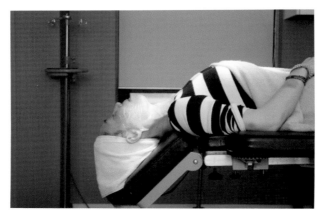

그림 4-2. 실리프팅 시 환자자세(extended neck trendelenburg position)

2) 도구

모노실 시술을 하는 경우에는 특별한 기구 없이 얼굴 소독을 위한 소독약과 소독 방포 등만 준비 되어 있으면 시술이 가능하지만, 가시실 시술을 하는 경우에는 실을 삽입하는데 필요한 도구와 피부에 남겨져 있는 실을 제거하기 위한 도구들이 필요하다.

저자들이 사용하는 가시실 시술 도구는 다음과 같다(그림 4-3).

(1) 아울 (Awl)(그림 4-4)

피부를 뚫는 데 사용되는 기구로, 18G나 21G 바늘을 사용하여도 무방하나 아울을 사용하여 피부를 뚫으면 혈관이 터져 멍이 들 위험률을 낮출 수 있다.

(2) 마취용 캐뉼라(그림 4-5)

실리프팅 시술 전 투메슨트 마취액을 주입하기 위한 용도로 사용되어 진다. 일반 바늘을 이용하여 마취하는 것에 비해 멍이 들 가능성을 줄일 수 있다. 저자의 경험상 21G 보다 굵은 캐뉼라 또는 바늘을 사용하면 통증이 심해지므로 가급적 이보다 가는 굵기를 사용하는 편이 좋다.

(3) 템포랄 니들/훅(temporal needle/hook)(그림 4-6)

측두 근막은 두피아래에 있는 아주 튼튼한 조직으로, 고정형(anchoring) 형태의 실 시술 시 실을 측두 근막 부위에 고정시키기 위해서 사용한다.

(4) 캐뉼라/내침(stylet)(그림 4-7, 4-8)

상기의 기구들은 실을 피부 속에 삽입하는데 사용되는 도구들이다. 실리프팅 시 끝이 뭉툭한 내침이 끼워져 있는 캐뉼라를 실이 위치해야할 곳에 집어 넣는다. 내침을 빼낸 다음 캐뉼라에 실을 집어 넣고, 캐뉼라만 빼내면 실이 피부 속에 위치하게 된다. 바늘에 달려있는 일체형 실을 사용할 경우 실을 잘못 넣게 되면 위치의 교정이 어려우나, 캐뉼라를 써서 시술하는 경우 미리 위치를 잡은 후에 실을 넣기 때문에 비교적 정확한 위치에 실을 넣을 수 있으며, 멍이 들 가능성이 적은 장점이 있다.

(5) 캐뉼라/내침(stylet)/롱니들(그림 4-9, 4-10)

고정형 실을 사용하는 경우 실이 피부속에 들어갔다가 다시 피부 바깥쪽으로 나오는 방식으로 시술을 하게 되는데, 이때에는 롱니들을 이용하여 바늘귀에 실을 넣고 피부 바깥쪽으로 빼내거나, 그림과 같은 캐뉼라를 이용하여 시술을 하게 된다.

(6) 포셉/가위(그림 4-11)

실을 잡거나 자를 때 사용하게 된다.

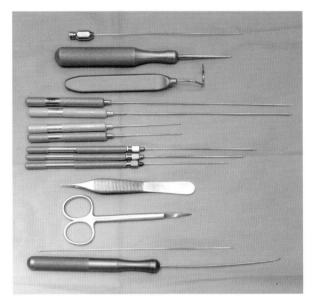

그림 4-3. 시술 시 사용도구

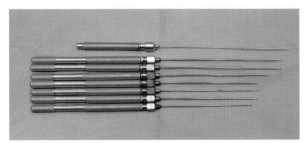

그림 4-7. 캐뉼라/내침(stylet) A

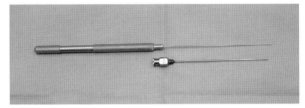

그림 4-8. 캐뉼라/내침(stylet) B

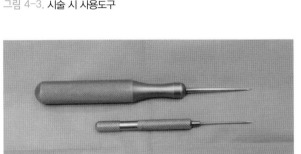

그림 4-4. 아울(Awl)

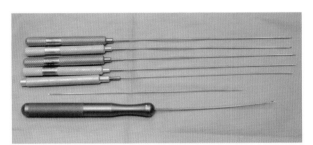

그림 4-9. 캐뉼라/내침(stylet) A

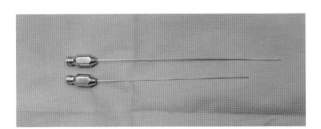

그림 4-5. 마취용 캐뉼라

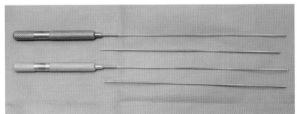

그림 4-10. 캐뉼라/내침(stylet) B

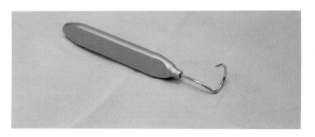

그림 4-6. 템포랄 니들/훅(temporal needle/hook)

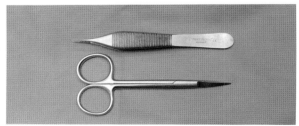

그림 4-11. 포셉/가위

SECTION 4

디자인

디자인은 각각의 임상적 형태와 경우에 따라 다르게 디자인되므로 각각의 임상적 케이스를 예시로 하여 후술하겠다.

SECTION 5

마취

마취는 시술자의 편의에 의해 결정하는 것이 좋다. 대부분의 안면마취는 효과적이며 시술 시 크게 문제되는 것이 없기 때문에 국소마취로 진행하는 경우가 대부분이나, 환자의 심리적 상태나 다른 이유로 수면마취로 진행하는 경우들이 있다. 국소마취는 크게 미니 튜메센트마취, 신경절마취로 나눌 수 있다.

1. 미니튜메센트

미니튜메센트는 지방흡입에 사용하는 튜메센트 용액을 변형한 방법으로 일반적으로 마취에 사용하는 2% 리도케인 용액을 1% 리도케인으로 희석하여 사용하는 방법이다(표 4-2, 4-3). 이 용액의 장점은 pH를 맞춰서 주입할 때 통증이 덜하며 에피네프린으로 출혈의 경향을 줄일 수 있어 멍을 예방할 수 있다는 점이다.

　하지만 상태적으로 많은 양의 용액이 주입됨으로 인해 붓기가 더 심해질 수 있기 때문에 환자에게 붓기에 대해 충분히 설명하도록 한다. 또한 탄산수소나트륨(sodium bicarbonate)을 섞는 경우 오래 보관하면 색이 변하는 경우가 있으므로 당일 사용 후 폐기하는 것이 좋다. 통상적으로 안면 마취 시 한쪽 면에 10 cc정도를 사용하고 이렇게 되면 총 5 cc 정도의 리도케인을 사용하게 되는 것이다.

표 4-2. 1% 리도케인 미니 튜머센트 포뮬러

Normal Saline : 60 cc
2% lidocaine : 60 cc
8.4% sodium bicarbonate : 12 cc
1:1000 Epinephrine : 1 cc

표 4-3. 0.3% 리도케인 미니튜머센트 포뮬러

Normal Saline : 100 cc
2% lidocaine : 20 cc
8.4% sodium bicarbonate : 10 cc
1:1000 Epinephrine : 0.2 cc

2. 신경절마취

신경절마취는 일반적으로 많이 알려져 있는 방법이므로 자세한 설명을 생략하도록 하겠다(그림 4-12).

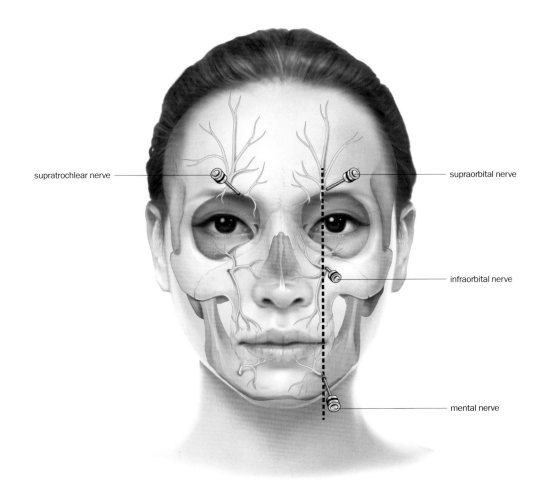

supratrochlear nerve

supraorbital nerve

infraorbital nerve

mental nerve

그림 4-12. 대표적인 신경절마취

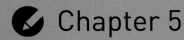

Textbook of
Absorbable
Thread
Lifting

Chapter 5

실 리프팅 테크닉

SECTION 1

실 리프팅 테크닉 : 돌기가 없는 실의 종류와 테크닉

녹는 실을 이용한 리프팅 실은 크게 돌기가 없는 것과 돌기가 있는 것으로 나눌 수가 있다. 돌기는 실에 물리적 조작을 가해서 만들거나 특수한 물질을 부착해서 만들 수 있다(예: 가시, mesh). 돌기가 없는 실은 여러 가지 성상을 가진 종류의 실을 사용하는데 일반적으로 피하 연부조직이나 근육층에 삽입하게 된다. 각 실들의 성분의 특성에 대해서는 앞에 실의 종류 부분을 참고 하면 된다.

1. 모노실 시술의 중요요소

모노실 시술에서 가장 중요한 것은 삽입방향(direction), 숫자(number), 깊이(depth), 회전(rotation)으로 이루어진 일명 DNDR이라고 불리는 4가지 요소이다.

1) 삽입방향(Direction)

실을 삽입하는 방향에서 봤을 때 장축을 기준으로 실의 직각이 되는 방향으로 콜라겐 생성이 되므로 리프팅을 하고자 하는 방향에 직각으로 실을 삽입하는 것이 가장 효과적이다(그림 5-1).

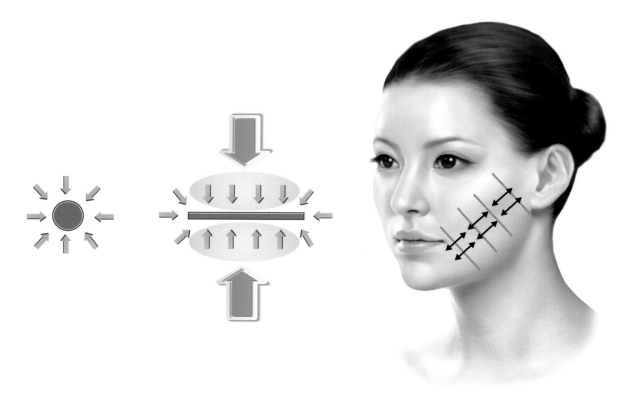

그림 5-1. 파란색: PDO 실, 주황 화살표: 조직이 리프팅 되는 방향, 빨강 화살표: 전체적인 리프팅 방향

이 방향에 대한 객관적이고 과학적인 근거는 없다. 하지만 저자들의 경험에 의하면 이와 반대방향으로 삽입했을 때보다 월등히 좋은 결과를 볼 수 있었다(그림 5-2).

이 방향은 결과적으로 안면의 주름방향을 따라 실을 삽입하게 되는 결과를 만드는데 이렇게 되면 주름과 수직방향으로 리프팅 효과가 나타나므로 대부분의 경우에서 좋은 결과를 볼 수 있다(그림 5-3).

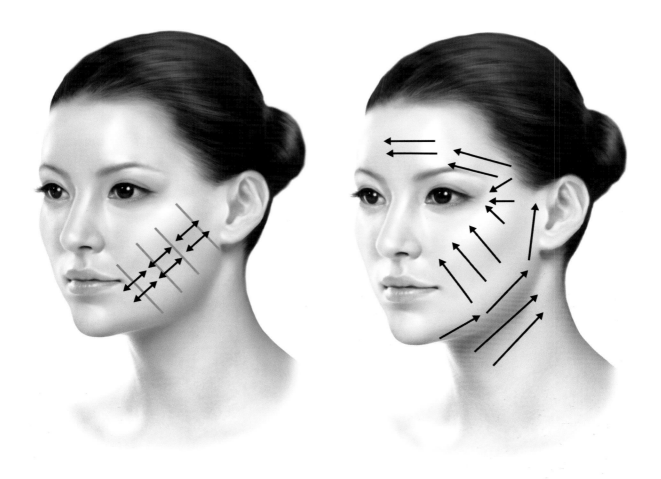

그림 5-2. 기본적인 리프팅을 위한 시술방향   그림 5-3. 안면에서의 전체적인 모노실 시술 시 삽입되는 방향과 길이

　　모노실로 왼쪽볼을 시술할 때는 왼손으로 볼과 하관을 외상방으로 약간 당긴 상태에서 실을 안쪽에서 바깥쪽으로 약 1 cm 간격으로 삽입한다(그림 5-4). 삽입 시 당겨져 있는 왼손으로 바늘이 진피 직하부정도의 깊이가 유지되는 것을 느끼는 것이 중요하다. 또 이때 먼저 삽입한 실을 빼지 않고 그대로 둔 상태에서 외측까지 모두 삽입하고 한 번에 제거한다. 오른쪽 볼을 시술할때에서 왼손으로 왼쪽 볼을 외측 상방으로 살짝 밀어준 상태에서 같은 방법으로 시술한다(그림 5-5).

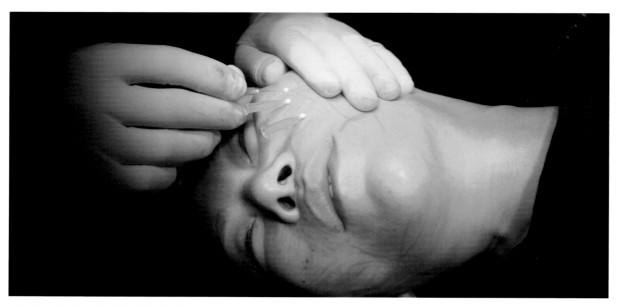

그림 5-4. 왼쪽 볼 시술 방법(오른손잡이 기준)

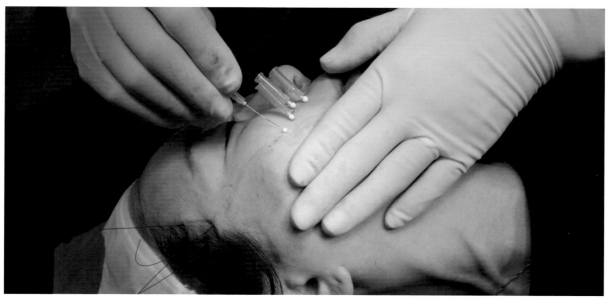

그림 5-5. 오른쪽 볼 시술 방법(오른손잡이 기준)

2) 수(Number)

삽입되는 실의 갯수가 많을수록 콜라겐이 자극되어 피부재생효과를 줄 수 있겠지만 지나치게 많은 수를 삽입하는 경우 과도한 부종과 멍을 만들 수 있다. 그래서 저자들은 중, 하안면 전체를 기준으로 50-100개 정도 사용하는 것을 권고한다.

3) 삽입 깊이(Depth)

임상적 적응증에 따라 삽입 깊이가 약간씩 차이나지만 콜라겐 생성을 목표로 할 때는 진피 바로 아래쪽에 삽입하는 것이 가장 바람직하다.

만약 지방 감소를 목적으로 한다면 지방층에 주입하는 것이 좋다. 모노실을 삽입할 때는 너무 얇게 삽입되지 않도록 주의해야한다. 진피층 위로 실이 삽입되는 경우에는 간간히 육아종성 이물반응이 발생하여 문제가 오랫동안 지속되는 경우가 발생하기 때문이다(그림 5-6).

이런 경우가 발생하면 적극적으로 삽입된 실 자체를 제거하는 것이 가장 좋은 해결법이다. 만약 그것이 불가능한 경우라면 트리암시놀론 주사보다는 히알라제(hyalunydase)가 경험적으로 좀 더 효과적인 것으로 생각된다. 보다 자세한 것은 부작용에 부분에서 언급하고자 한다.

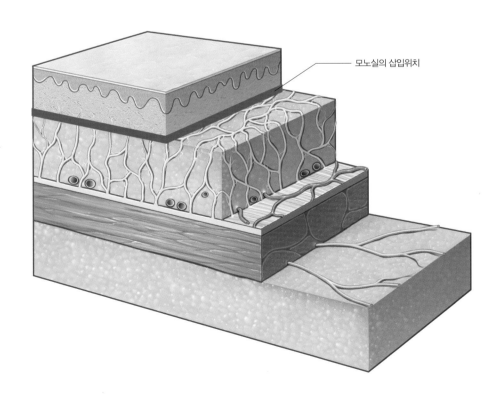

모노실의 삽입위치

그림 5-6. 피부단면도

4) 회전(Rotation)

일반적으로 실을 삽입한 후 바로 바늘을 빼는 경우가 많은데 저자들은 삽입 직후 최소 3–4바퀴 정도 바늘을 돌려주는 것을 권한다. 삽입 직후 바늘을 돌려주는 것은 세포신호변환(mechnotransduction)을 통한 콜라겐 생성에 도움이 되어 피부재생을 유도할 수 있고 동시에 실이 조직 내에서 엉켜 조직을 잡아 주는 역할을 하기 때문이다.

이렇게 삽입한 다음, 실을 돌린 후 빼려고 할 때 조식이 바늘을 잡고 있는 현상(needle grab phenomenon)을 술자가 느낄 수 있다. 환자의 조직 상태에 따라 이러한 현상을 차이가 있는데 주로 젊거나 조직이 단단한 경우에서 많이 느낀다. 그러므로 조직이 다소 성글거나 나이가 많은 환자에서는 회전을 좀 더 해주는 것이 좋다(그림 5-7).

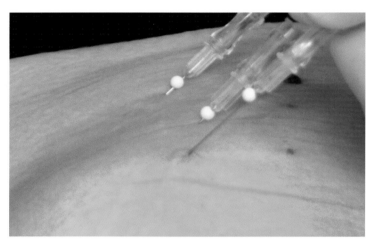

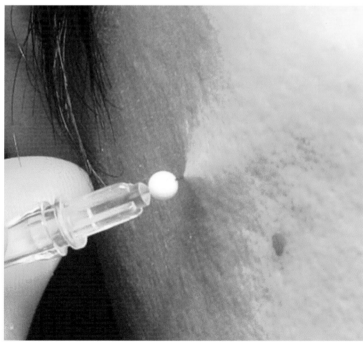

그림 5-7. 모노실 회전 시킨 직후 피부의 변화(needle grab phenomenon)

2. 모노실의 기본 테크닉

모노실(Plain/simple PDO)이라고 불리고 주로 폴리다이옥사논(polydioxanone, PDO)실을 사용한다. 표면이 매끄럽고 돌기가 없는(monofilament) 실이다. 주로 진피하부나 피하지방층에 삽입하지만 필요에 따라서는 근육까지 포함해서 삽입하는 경우도 있다. 원하는 부위에 디자인을 한 후 아래 여러 가지 방법으로 실을 삽입한다. 시술방법은 실이 달린 바늘이 연부조직과 근육을 통과 하는 방법이나 층에 따라 나뉜다.

1) Horizontal

바늘에 달린 실을 직선방향으로 삽입하는 방법으로 바늘이 들어가는 방향이 피부에 직각이거나 사선방향이든 상관이 없다. 일반적으로 가장 널리 사용하는 시술법으로 주로 피하의 같은 층에 평행하게 실을 삽입하게 된다(그림 5-8).

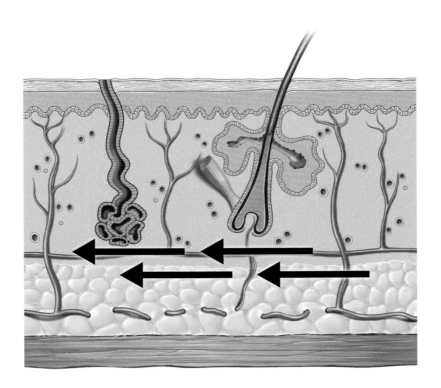

그림 5-8. horizontal 테크닉

2) Vertical

피부부터 근육까지 직각으로 실을 삽입하는 방법으로 주로 2.5 cm 이하의 짧은 모노실을 이용한다. 리프팅 효과보다는 볼륨을 줄여주는데 사용한다. 아직까지 정확한 이론과 배경이 알려지지 않았지만 저자들은 실이 근육 속에 삽입되어, 그 결과로 근육이완효과가 발생하고 그 결과로 볼륨이 줄어드는 것으로 추정한다. 주로 사각턱이나 종아리를 줄이는데 사용되고, 승모근 등에 사용되기도 한다(그림 5-9).

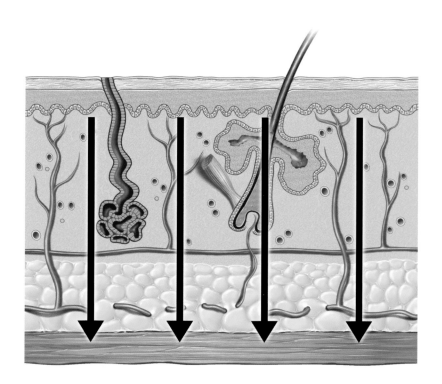

그림 5-9. vertical 테크닉

3) Sewing

피하에서 일정한 깊이로 실을 삽입하는 것이 아니라 그 위 아래층을 왔다 갔다 하면서 실을 꿰매듯이 여러 층의 조직을 통과하는 방법으로 여러 층의 느슨한 조직을 밀착시키는 효과를 위해 사용하는 방법이다. 주로 턱선을 개선하는데 사용한다(그림 5-10).

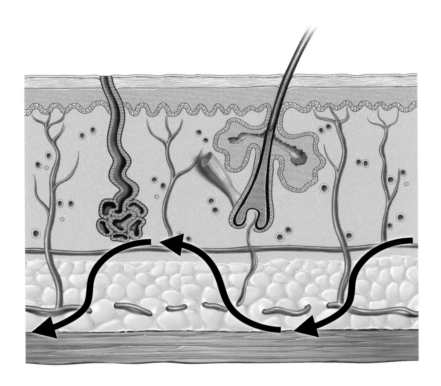

그림 5-10. sewing 테크닉

4) Zigzag

피하의 같은 층에 좌우로 왔다 갔다 하면서 실을 삽입하는 방법으로 골이 진 깊은 주름에 좌우로 조직을 모아서 융기시켜서 해결하는데 사용한다. 예를 들어 팔자주름이나 인디안밴드의 교정에 사용한다(그림 5-11).

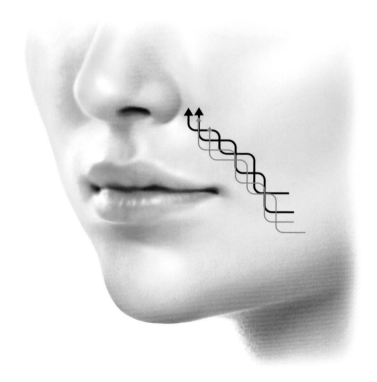

그림 5-11. Zigzag 테크닉

5) Circular

교정을 원하는 부위 주변에 가상의 원형모양을 만든다. 그 원형모양의 테두리에서 안쪽방향으로 여러번 삽입하는 방법이다(그림 5-12).

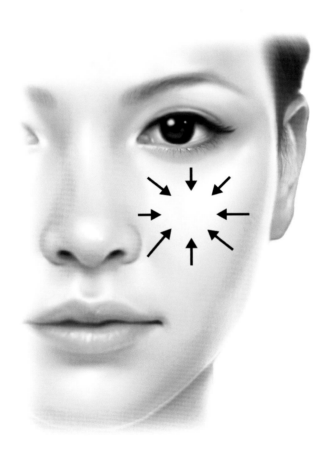

그림 5-12. Circular 테크닉

6) Framework (meshwork)

피하의 같은 층이거나 다른 층에 실을 격자 모양으로 삽입하는 방법으로 두툼한 조직을 압축하여 꺼지게 만드는 효과를 볼 수 있다(그림 5-13).

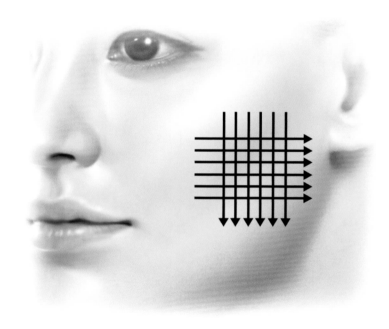

그림 5-13. Framework 테크닉

3. 임상적 적용

녹는 실 리프팅은 불과 3-4년 만에 많은 대중적 인기를 얻으며 다양한 미용시술분야에서 사용되고 있다. 하지만 아직까지 그 정확한 이론적 근거와 객관적인 연구 실험은 물론, 정확한 치료방법 및 그에 따른 결과물과 업적이 전무하다.

현재까지도 실 리프팅에 있어서 다양한 동물실험을 비롯한 임상 실험이 시도되고는 있지만 불행히도 그것의 객관적 입증과 검증이 논문화 되지 않고 있는 상황이다. 그 이론적 근거와 실험에 대해 언급하는 것은 적절치 않다고 판단하여, 저자들 역시 이론적 근거보다는 실증적이고 쉬운 임상 적용 방법에 초점을 맞추도록 하겠다.

또한 그 시술 방법에 있어서도 아직까지 어떠한 표준화된 시술법에 대한 합의와 동의가 이루어지지 않고 있다. 저자 역시 어떠한 참고문헌을 찾을 수 없어 많은 시행착오를 겪어야만 했다. 그러기에 이 책에서 설명된 방법은 저자들의 경험과 시행착오를 통한 공통적인 의견과 보편화된 방법이므로, 이보다 좋은 시술이 있을 수 있지만, 저자들의 다양한 시술법 중 안전성 면에서 인정된 방법만을 제시하고 있으므로 이 시술들은 특별히 문제가 되지 않을 것이라 생각한다.

기존 피부과 영역에서의 인식은 박피술과 같은 화학적 물질을 이용하여 피부파괴 후 재생과정을 통한 피부탄력증대의 결과를 이용한 리프팅이나 고주파를 이용한 열이나 초음파를 이용하여 콜라겐 합성을 유도하여 리프팅을 하는 방법에 국한되어 있었으며, 성형외과적인 영역에서는 안면거상술이라는 늘어진 피부를 단순제거하는 리프팅 방법이 많이 사용되었다.

저자들은 녹는실을 이용한 리프팅이야말로, 피부과 영역의 레이저 리프팅과 성형외과 영역의 안면거상술의 단점을 보완하고 각각의 장점들을 극대화시킬 수 있는 새로운 시술영역이라 생각한다.

실 리프팅은 10여년부터 APTOS (Russia), Contouring thread (USA), scaffold lifting 등 다양한 실 리프팅 시술들의 이름으로 시술되어온 방법들이었다. 하지만 이전의 실 리프팅은 주로 가시가 있는 실을 이용하여 늘어진 피부를 물리적으로 끌어올려주는 것이 그 시술 목적이었다. 또한 녹지 않는 실을 사용하였기 때문에 피부아래 영구적으로 남아있어 그것이 부작용이 생기는 경우 쉽게 해결하기 힘들다는 태생적 한계를 안고 대중화되지는 못했다.

2010년경부터 주로 PDO를 이용한 녹는 실 리프팅이 한국에서 시술되기 시작하면서 기존의 실 리프팅에서 문제점들을 극복하면서 대중화되기 시작하였다. 녹는 실을 이용한 실 리프팅은 크게 2가지 관점에서 기존의 녹지 않는 실 리프팅과의 차이가 있다고 할 수 있다.

첫 번째는 단순히 물리적으로 피부를 거상하는 것에 초점이 맞춰져 있는 시술이 아니라 늘어진 피부를 거상함과 동시에 조직을 자극해 콜라겐과 섬유세포 증식을 유도하여 진피조직의 재생을 통하여 피부탄력 자체를 증대시키는 것이 가장 큰 차이점이다.

두 번째로는 삽입된 실은 녹아서 없어지기 때문에 기존에 녹지 않는 실이 가지고 있는 신경자극이나 영구적인 비대칭 및 재시술이 불가한 점과는 달리, 여러 가지 부작용이 일시적이고 재시술이 가능하다는 것이 또 다른 차이점이라 할 수 있다.

저자들을 모노실과 코그실을 이용한 다양한 피부의 임상적 적용법에 대해 논하고자 한다.

1) 피부 탄력

피부 자체의 탄력증가가 목적인 경우에 많이 시행되며 시술 초기 가장 많은 임상 적응증으로 사용되어 왔다. 시술에는 주로 모노실이 사용되며 진피 바로 아래 깊이 정도로 삽입하여 그 길이는 바늘 길이 기준으로 4 cm 전후가 삽입하기 적당하다. 주로 리프팅을 만들고자 하는 부위인 중하안면 전체를 기준으로 50−100개 정도 삽입한다. 실의 삽입방향은 리프팅이 만들고자하는 방향의 직각 방향으로 삽입하도록 권장한다(그림 5-14).

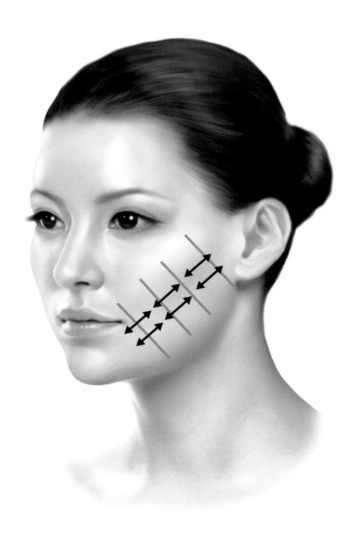

그림 5-14. 일반적인 피부 탄력 시술시 모노실의 삽입 방향

2) 턱선, 이중턱

턱선과 이중턱은 환자들이 가장 개선되길 원하는 부위 중에 하나이다. 이 부위를 시술하는 목적은 입가 주위 소위 심술보와 볼살 부분의 조직 거상과 턱선 주위의 늘어진 피부의 탄력 증대, 그리고 턱밑과 입 옆의 지방 감소이다. 시술 시에는 통상적으로 모노실과 코그를 같이 사용할 때 효과가 증대된다(그림 5-15)

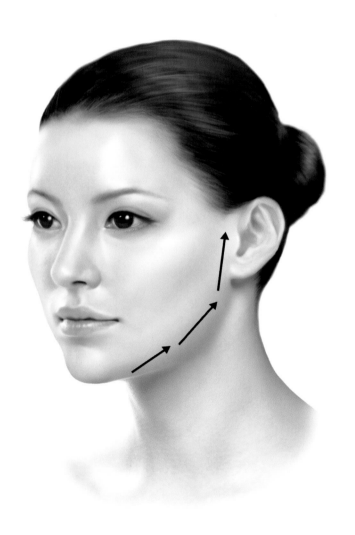

그림 5-15. 턱선, 이중턱 시술 시 모노실의 삽입 모식도

턱선 시술 시에는 모노실과 코그실을 병합하여 시술하는 방법을 주로 사용하는데 코그실은 관자놀이에서 17(9) cm 정도의 Floating Bi-directional type 2개 정도를 심술보까지 삽입한다. 또 귀 뒤쪽의 꼭지돌기(mastoid process)에서 턱선을 따라 마리오넷(marionette) 라인까지 17(9) cm 정도의 Floating Bi-directional type 2개 정도를 삽입한다. 이때 코그실을 너무 깊게 삽입하면 신경손상이 일어날 수 있으므로 반드시 주의하도록 한다. 이후 모노실을 진피 바로 아래 깊이(sub dermal level)로 지방층을 오가며 턱선을 따라 Sewing 테크닉을 이용하여 삽입한다. 실의 길이는 4-5 cm 정도가 적당하여 실은 한쪽 면당 약 20개 정도 사용한다(그림 5-16).

이중턱을 해결하고자 할 때는 모노실을 턱밑 지방제거를 목적으로 피하지방층(subcutaneous level)으로 삽입하고 턱밑으로 지방의 분포를 고려해 50-100개 정도 삽입하며 그 길이는 3-4 cm 정도가 적당하다. 또한 코그실 삽입 시에는 귀 뒤쪽의 꼭지돌기(mastoid process)에서 턱선 아래로 턱선 중앙까지 17 cm 정도의 Floating Bi-directional type 2-3개 정도를 삽입한다. 이때의 깊이는 턱선과 달리 다소 깊게 지방층에 삽입한다. 지방의 감소효과는 즉각적으로 나타나지 않고 1-2개월에 걸쳐 나타나므로 환자에게 주지시켜 주는 것이 좋다.

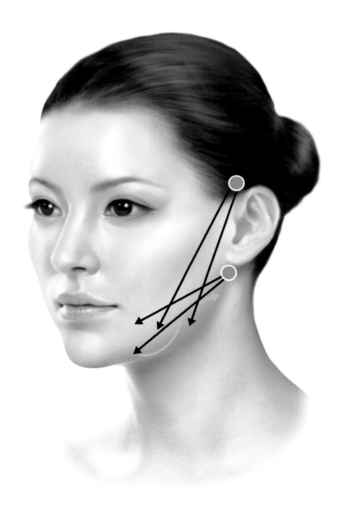

그림 5-16. 모노실과 코그실의 병합시술 테크닉 모식도

3) 코

녹는 실을 사용하여 코성형을 시작한 한국 최초의 실은 미스코(MISKO)이다. 본 저자(노봉일 원장, 글로비성형외과)도 초기 사용병원에 참여해 사용을 하고 있고 그 이후에 유사한 다양한 제품들이 제작되어 사용되고 있다. 기본적으로 코그가 있는 실을 사용하여야 효과가 있다. 주로 코끝을 세우는데 사용하지만 그 외에 콧대를 높이거나 들린 코볼내리거나 넓은 코볼을 줄이는데도 사용한다. 저자가 사용한 실은 코그가 다양한 방향으로 만들어져 있고 그 끝이 갈라져 있어서 뼈에 미끄러지지 않게 지지하는 역할을 하거나 뾰족한 실 끝이 코끝 피부를 뚫고 나오는 것을 예방하는 역할을 한다(그림 5-17).

그림 5-17. 미스코실

　실을 넣을 때는 아래 그림 같은 기구를 사용하고 코끝 피부를 원하는 방향을 당긴 후 실을 넣는다.

　코그가 있는 실을 이용하여 코끝을 높인 후 비교한 Cephalometry 사진을 보면 코끝이 충분히 높아진 것을 확인할 수 있다(그림 5-18, 5-19). 간단하고 붓기가 적어서 사회활동이 많은 사람들한테 좋은 시술이다. 하지만 코수술을 대체할 수는 없다고 생각한다.

　부작용으로는 실 돌출, 흉터, 염증 등이 있다. 실 돌출은 주로 넣은 부위가 나오는 경우가 가장 많은데 그 이유는 무리하게 긴 실을 넣은 경우가 가장 많다. 그 외에 입 안쪽으로 실이 돌출되는 경우, 제거해야 한다. 흉터는 실을 넣은 부위에 생기는 경우가 드물게 있으며 염증은 항생제 복용으로 거의 해결된다.

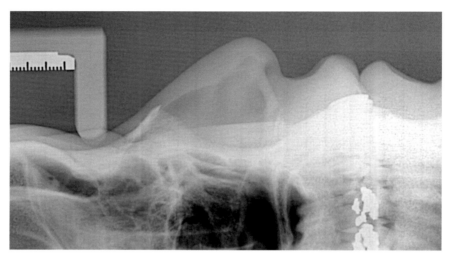

그림 5-18. 수술 전 cephalometry

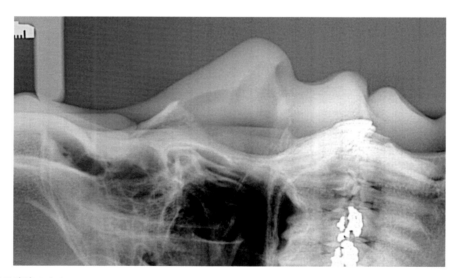

그림 5-19. 수술 후 cephalometry

4) 목주름

목 주름 치료를 위해서는 코그보다는 모노실로 시술하는 것이 좋다. 시술 전에 미리 주름이 생기는 곳을 마킹한 후 모노실 50-100개를 목 주름을 따라 진피 바로 아래(sub-dermis level)로 삽입한다. 한 주름당 3-5개 정도의 실이 겹쳐지게 시술하며 목의 커브 등을 고려하여 2.5-3 cm 정도의 다소 짧은 실을 여러 개 사용하는 것이 좋다.

시술 시 다른 부위와 달리 멍이 들 가능성이 높으므로 환자에게 충분히 주지시켜주는 것이 좋다. 또한 보톡스, 필러 등과의 병합시술이 더 좋은 결과를 나타낼 수 있다(그림 5-20).

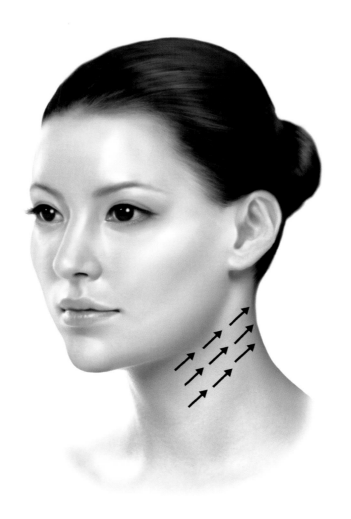

그림 5-20. 목 주름 시술 테크닉 모식도

5) 이마 주름

잔주름을 해결하고자 할 때는 50개 전후의 모노실을 이용하여 이마 주름을 따라 역시 진피 바로 아래(sub−dermis level)로 삽입하며 역시 목주름과 마찬가지로 한 주름당 3−5개 정도의 실이 겹 치게 시술하고 2.5−3 cm 정도의 짧은 실이 적당하다(그림 5-21).

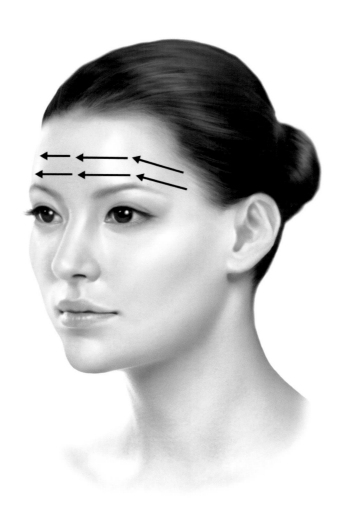

그림 5-21. 이마 주름 시술 테크닉 모식도

6) 눈썹, 이마거상

눈썹 거상 시에는 6-7 cm 정도의 다소 얇은 2-0 양방향 코그실 사용하여 이마 주름에 90도 방향으로 모발선 1-2 cm 후방에서 눈썹방향으로 골막 바로 위층에 깊게 삽입한다. 이렇게 하면 실이 만져지거나 비춰 보이지 않게 되며 안와상 신경(supraorbital nverve), 활차상 신경(supratrochlear nerve) 등의 신경자극을 피할 수 있다. 이 부위의 시술법은 다양하게 있으며 숙달된 후에는 더 좋은 결과를 위해서는 비고정형이 아닌 고정형을 시도하는 것이 좋다(그림 5-22).

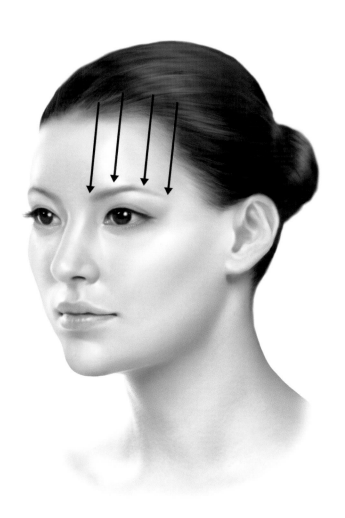

그림 5-22. 이마거상 시술 테크닉 모식도

7) 눈 주위

① 눈가 주름(crow feet)

눈가 주름 시술 시에는 눈가 주름을 따라 삽입한다. 보톡스 시술 시에는 측면안각(lateral canthus) 1 cm 외측의 주름에만 시술이 가능하고 시술한 이후에는 웃거나 표정을 지을 때 어색한 부분이 있지만 눈가 실리프팅은 측면안각에서부터 시작하는 1 cm 안쪽 주름까지도 개선이 가능하고 표정을 지을 때 어색한 점이 없는 것이 보톡스 시술과 비교했을 때 실리프팅이 가질 수 있는 가장 큰 장점이다. 실은 한쪽당 10-20개 정도를 사용하며 2.5-3 cm 정도의 짧은 실이 적당하고 역시 주름당 2-3개 정도를 겹쳐서 삽입하며 눈가의 경우는 때에 따라 격자형태로 시술하기도 한다. 이때에도 너무 얕게 삽입하지 않도록 한다(그림 5-23, 5-24)

그림 5-23. 눈가 격자 시술 테크닉 모식도

그림 5-24. 눈가 주름 시술 테크닉 모식도

② Under eye fine wrinkle

눈 밑 잔주름의 경우에는 한쪽 당 10개 내외로 시술하며 2.5-3 cm 정도의 짧은 실이 적당하다. 저자들의 경험상으로는 눈 밑 잔주름의 경우에는 다른 부위와 달리 상대적으로 효과가 떨어지는 것을 느꼈는데 그 이유는 아마도 눈 밑은 바늘을 사용하는 실 리프팅의 통증이 상대적으로 크며 아무리 작은 바늘이라 해도 멍이 쉽게 들어 많은 실을 삽입하기가 어렵기 때문이 아닐까 추정한다. 그에 따라 만족감이 떨어지게 되어 결과적으로 효과보다는 불편함이 큰 부위라 생각한다(그림 5-25).

그림 5-25. **눈밑 주름 시술 테크닉 모식도**

8) 팔자

   팔자는 관자놀이에서 삽입하여 작은 광대근(zygomaticus minor muscle)의 주행방향을 따라 12−15 cm 길이의 비 고정형 양방향 코그실을 SMAS 깊이로 2−3개 삽입하고 팔자선을 따라 mono실을 한쪽당 20개 정도로 zigzag 테크닉으로 삽입한다(그림 5−26).

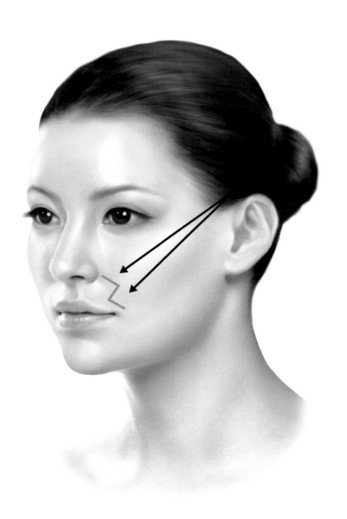

그림 5−26. 팔자 시술 테크닉 모식도

SECTION 2

실 리프팅 테크닉 : 돌기가 있는 실의 종류와 테크닉

이제는 돌기가 있는 실을 이용한 수술방법에 대해 구체적으로 알아보기로 하자.

돌기가 없는 실을 이용하는 리프팅 방법은 실을 여러 부위에 여러 방향으로 넣어주어서 피부의 탄력을 높이면서 리프팅의 효과를 얻는 방법으로, 시술방법이 쉽고 붓기가 적어서 많이 시술되고 있다. 하지만 늘어진 조직을 당겨 올리는 즉각적인 리프팅 효과가 적고 리프팅 효과의 지속기간이 짧다는 단점이 있다.

최대한 리프팅 효과를 극대화시키기 위해서는 실에 물리적 조작을 가해서 조직을 걸 수 있는 돌기(barb, cog)를 만든 실을 사용해 늘어진 조직을 당겨 올리는 시술이 필요하다. 이런 돌기가 있는 실은 돌기방향 및 고정여부에 따라 몇 가지로 구분할 수 있다. 우선 돌기의 방향에 따라 나누어 보면 한쪽 방향으로만 돌기를 만든 단방향(unidirection) 실, 양쪽 방향으로 만든 양방향(bi-direction)실, 양방향 돌기를 여러 개 만든 다방향(multi-direction)실 등이 있다. 그리고 돌기가 있는 실로 조직을 당겨 올린 후 그 실을 고정을 하느냐 하지 않느냐에 따라서 비고정형방법(floating type)과 고정형방법(anchoring type)으로 나눌 수 있다.

비고정형방법으로 가장 대표적인 실은 압토스실(aptos thread)이다. 7-10 cm 길이의 실에 양방향으로 실의 중앙으로 조직을 모이게 돌기를 만든 양방향(bi-drectional)실이다. 러시아의 닥터 슐레마니츠가 만든 이 실은 녹지 않는 폴리프로필렌(poypropylene)으로 만든 제품이었지만 최근에는 한국에도 이와 비슷한 형태를 가진 흡수성실을 이용한 몇 가지 제품이 판매되고 있다. 이 제품들도 양방향 돌기를 갖고 있고 늘어진 조직을 실의 중앙으로 모이게 해서 리프팅 효과를 얻는 방법이다.

오랫동안 해온 방법으로 익숙하지만 광대부위에 실의 중앙이 위치하게 되어서 한국인처럼 광대가 발달한 경우가 많은 경우에서 광대뼈가 더 두드러져 보이는 단점이 있다.

그 단점을 보완하기 위한 제품으로 돌기가 양방향이 여러 개가 있는 다방향실(multi-directioal cog)이 나와서 특정부위에 처진 살이 몰리지 않게 되어, 광대가 두드러지는 문제는 어느 정도 해결하게 되었다. 하지만 기본적으로 다방향실은 양방향실과 달리 조직과 조직을 서로 당겨 리프팅 효과를 내는 것이 아니라 고정하는 역할을 하는 실이므로 단독으로 사용하는 것 보다는 양방향실의 효과를 도와주는 보조적인 실로 사용하는 것이 좋다.

실을 삽입 방법은 주로 18 G 가이드 캐뉼라를 삽입한 후 실을 넣기도 하고 돌기 없는 실들처럼 바늘에 장착된 것을 사용하기도 한다.

1. 비고정형실(Floating type)

돌기가 있는 실을 사용하여 늘어진 피부와 조직을 당겨 올리는 수술이지만 그 조직을 당겨 올린 실을 어느 부위에 묶어서 고정하지 않는 방법이다. 그래서 주로 7-15 cm 정도의 양방향 실이나 다방향 실을 주로 사용한다.

여기에서는 실의 굵기나 성상의 종류에 관계없이 비고정형(floating type)으로 리프팅 시키는 방법에 대해서 다루고 자 한다.

1) 실의 특성

① 단방향 실(Uni-directinal thread)

단방향실은 다양한 길이로 나오는데 그 자체로는 리프팅 할 수 없기 때문에 리프팅 효과를 보기 위해서는 실을 서로 묶거나 양쪽 끝의 루프를 걸어 사용하여야 한다(그림 5-27).

그림 5-27. 단방향 실

② 양방향 실(Bi-directional thread)

이 실은 총 길이가 보통 7-14 cm이고 돌기가 있는 부위는 4-9 cm 정도이다. 양방향으로 난 돌기의 가운데 부위로 조직을 모아주는 효과가 있다. 하지만 광대뼈가 발달한 경우에는 광대부위가 더 커질 수 있다는 단점이 있다.

양방향 실 리프팅의 기본 원리는 단단한 조직과 느슨한 조직을 서로 맞당기게 되면 단단한 조직 쪽으로 느슨한 조직이 당겨오는 원리를 이용하는 것이다. 이것이 양방향 실을 관자놀이에서 하관 쪽으로 삽입했을 때 관자놀이 쪽으로 하관의 피부 조직이 당겨져 올라오는 이유이다(그림 5-28).

그림 5-28. 양방향 실

③ 다방향 실(Multi-directional thread)

이 실은 총 길이가 보통 7-14 cm 이고, 돌기가 있는 부위의 길이는 4-9 cm이다. 돌기의 방향은 양방향의 돌기가 실에 3-4개 정도 만들어져 있어서 양방향실처럼 당겨진 조직이 한 부위에 몰리지 않고 전체적으로 고정하듯이 걸리게 되어서 광대뼈가 발달된 경우에도 사용할 수 있다.

하지만 조직을 당겨 올리는 것이 아니라 고정하기 위한 것이므로, 조직을 당겨 올린 후 고정을 더 강화시켜주는 보조적인 역할로 단방향 고정형실이나 양방향 비고정형실을 사용한다(그림 5-29).

그림 5-29. 다방향 실

표 5-1. 고정방식에 따른 코그실의 종류

고정방식	코그 방향	시술 특징	장점	단점	상세그림
비고정형 (Floating type)	Uni-directional	초창기 시술	시술이 간단	리프팅 효과가 없다	–
	Bi-directional	가장 대중적	리프팅효과	고정형에 비해 약하다	그림 5-32
	Multi-directional	보조적	고정력이 강함	단독으로 사용되기 어렵다	그림 5-34
고정형 (Anchoring type)	Uni-directional	고전적인 방법	가장 강력한 리프팅	시술이 어렵다	그림 5-31
	Bi-directional	혼합형 시술	거상과 고정을 동시에할 수 있다	고정점으로 인한 이점을 보기 힘들다	그림 5-33
변형법 (Variant type)	Uni-directional	연성 고정형이라고 불리운다	작은 부위를 효과적으로 리프팅	실을 묶어서 피하로 삽입하는 과정이 필요하다	그림 5-30

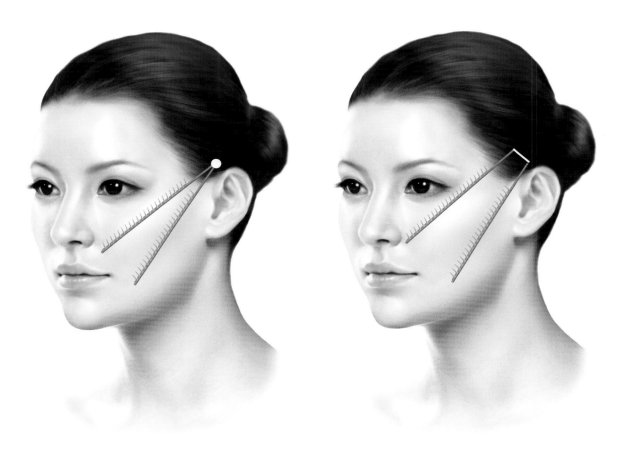

그림 5-30. **단방향실을 이용한 변형법(연성 고정형, 타이) 테크닉**

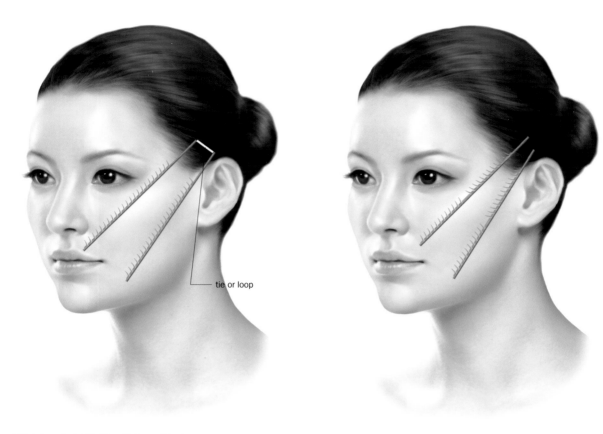

그림 5-31. 긴 단방향실을 이용한 고정형 테크닉　　　　　　그림 5-32. 양방향 실을 이용한 비고정형 테크닉

2) 기구

보통 17-19 G의 가이드 캐뉼라를 이용하여 실을 삽입한다. 아무래도 끝이 조금이라도 뾰족하면 멍이 들 가능성이 높기 때문에, 시술자의 취향에 따라서 끝이 뭉뚝한 내침이 있는 가이드 캐뉼라를 사용하여 시술을 할 수도 있다. 가이드 캐뉼라를 선택할 때는 돌기부위가 피부 속에 모두 삽입되어 있어야 하므로, 9 cm 이상 길이를 사용한다.

3) 디자인

각론에서 기술하기로 하자.

4) 마취

비교적 굵은 캐뉼라를 사용하므로 아무래도 연고 마취만으로는 시술이 힘들다. 수면 마취를 병행하더라도 멍을 최대한 들지 않게 하기 위해서는 혈관수축제(vasoconstictor)인 에피네프린(epinephrine)이 함유된 주사마취를 병행하는 것이 좋고, 익숙해지면 마취 시 통증이 심하지는 않기 때문에, 거의 국소 마취제만 사용하여 시술을 할수 있다.

　일반적으로 안면거상술 시 사용되는 희석 마취인 튜메센트(tumescent) 용액은 리도케인(lidocaine)의 비율이 0.2-0.3%, 에피네프린의 비율이 1:250,000-500,000 정도가 되게 하여 사용된다. 이러한 점을 고려하여 이와 비슷한 마취 용액을 만들어서 캐뉼라가 움직일 곳에 미리 마취를 하면 된다. 입구부는 출혈이 있을 가능성이 높으므로 에피네프린의 함량을 높여 마취한다.

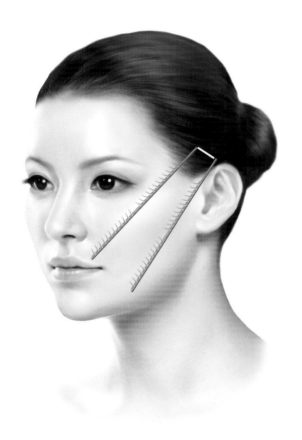

그림 5-33. 양방향 실을 이용한 고정형 테크닉

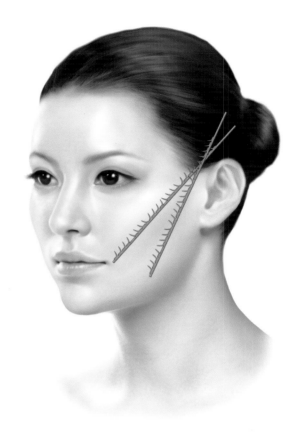

그림 5-34. 다방향실을 이용한 비고형 테크닉

저자의 경우 일반적으로 dental lidocaine이라고 부르는 1:100,000 비율의 에피네프린이 섞인 2% 리도케인을 이용하여 입구부를 마취를 한다.

5) 시술과정

(1) 디자인한 곳에 18 G 바늘이나 아울(owl)을 이용하여 구멍을 뚫는다.

(2) 먼저 수직방향으로 가이드 캐뉼라를 넣는다. 진행 깊이는 피하지방 층을 따라 삽입한다. 너무 표면으로 진행하면 시술 후 피부가 울거나, 피부 꺼짐(dimple)이 발생할 가능성이 높다. 캐뉼라를 끝까지 삽입하였으면, 피부 표면 쪽으로 약간 들어 올려서 들어간 깊이를 가늠해본다. 캐뉼라의 윤곽이 뚜렷하게 보이거나 부드럽게 흔들리지 않으면 너무 표면으로 삽입된 것이다. 이때는 가이드 캐뉼라를 살짝 뒤로 빼서 다시 삽입하도록 한다.

(3) 캐뉼라 내침을 제거하고, 여기에 실을 집어넣은 후, 캐뉼라를 뺀다. 이때 실이 같이 나오지 않도록 한 손으로는 실을 고정 시키면서 반대 손으로 조금씩 캐뉼라를 뺀다. 캐뉼라가 조금 빠져 나오면 실의 끝부분이 조직을 잡고 있기 때문에 실을 잡고 있던 손은 놓고, 캐뉼라를 빼내면 된다.

(4) 실이 고정이 되었으면, 피부 바깥쪽에 나와 있는 실을 가위를 이용하여 절단한다. 실을 살짝 당기면서 피부를 양쪽에서 살짝 밀어 가위로 절단하면 실이 피부 속으로 삽입된다.

(5) 피부의 진피가 잘려진 실에 걸려서 꺼짐(dimple) 현상이 있으면 마사지를 해서 풀어준다.

SECTION 3

실 리프팅 테크닉 : 고정법 ANCHORING TECHNIQUE

1. 시술의 기본 배경지식과 개념

고정형 방법 리프팅은 피부가 많이 늘어지거나 강한 리프트 효과를 원하는 경우에 효과적인 실 리프팅 방법이다. 위쪽 부위에 고정을 하는 방법으로는 고정하는 조직에 따라 골막이나 심부 근막과 같이 단단한 조직에 고정을 하는 전통적인 방법(classic type, hard anchoring)과 피하지방이나 표재성 근막, 하부 진피 등의 약간의 유동성이 있는 조직에 고정하는 변형법(variant type, soft anchoring)이 있다.

고정하는 방법으로 2002년도 미국성형외과학회지(Plastic&Reconstructive surgery)에 Dr. Gordon Sasaki가 고어텍스 실을 이용한 실리프팅 방법이 발표되었고 제품화된 실이 국내에 유통되기도 했지만 여러 가지 문제로 이 수술 방법이 많이 사용되지는 않았다. 이렇게 실에 조작하지 않은 단순한 봉합사에 의한 실 리프팅 방법은 오래 전부터 시술해 왔지만 유행되지는 않았다.

이후에 러시아의 Dr. Sulamanidze가 가시가 달린 녹지 않는 실로 비고정형 방법의 실 리프팅 방법을 발전시켜 시행되었고 1999년에 세계특허를 얻어 2001년 논문발표 후 세계적으로 인정받아 유행하게 된다. 이렇게 양방향 가시가 있는 10 cm 정도의 비흡수성 실을 이용한 리프팅을 방법을 "압토스리프팅(APTOS lift : Anti-PTOSis – meaning antiptosis)"이라고 부른다. 하지만 더 리프팅 효과를 높이기 위해서 고정형 방법에 대한 관심을 갖게 되었고 특히 가시가 달린 녹지 않는 실을 이용한 방법들이 소개되어 널리 사용되기 시작한다.

여기서 설명하는 전통적인 방법은 골막이나 심부 근막과 같이 단단한 조직에 늘어진 피부를 당겨 올린 실을 고정하는 방법으로 실로 하는 리프팅 방법 중에서 피부 견인 효과가 가장 강력한 방법이다. 하지만 고정하는 조직이 깊은 부위에 있어서 해부학적 구조를 잘 알아야 부작용 없이 고정을 할 수 있다. 사용하는 실은 길이가 40센티 이상 되는 긴 양방향 실을 주로 사용하고 양방향 돌기의 중간에 일부는 돌기가 없는 부위가 있다.

하지만 최근에는 단방향 실이라도 그 끝에 있는 고리(loop)가 있는 경우 이를 이용하여 매듭을 만들어서 측두부 심부근막에 고정해서 사용할 수도 있다.

2. 주된 임상적 적응증

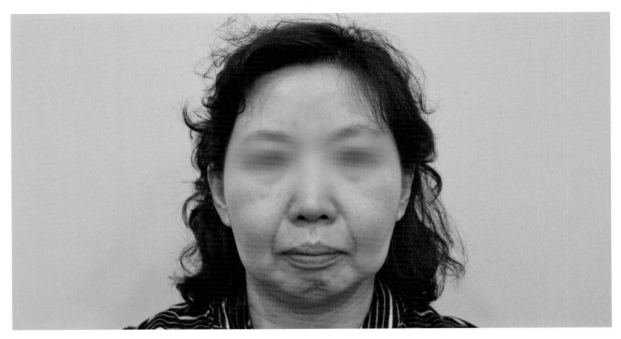

그림 5-35. 시술 전 사진

1) 팔자주름

2) 심술보 처짐

3) 볼 처짐

4) 턱선 개선

5) 입가 주름개선

3. 준비물

그림 5-36. 단방향 실 사진

저자가 실 리프팅 시 일반적으로 사용하는 기구는 마취주사, 아울(피부에 구멍을 내는 도구), 템포랄 니들, 캐뉼라, 포셉, 가위이다(chapter4 p. 23 참조). 캐뉼라는 실의 종류에 따라 17~19 G 구경의 가이드 캐뉼라를 사용한다.

4. 기본 디자인

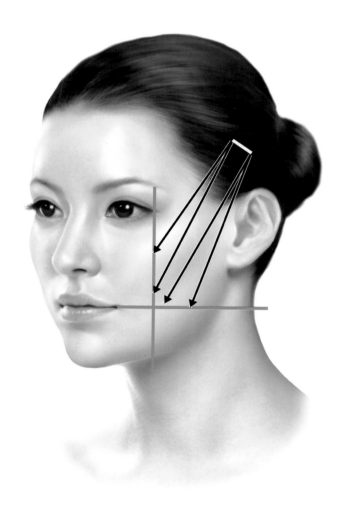

그림 5-37. 고정형 테크닉의 기본 디자인

1) 표정을 짓거나 저작근을 움직일 때 실이 돌출되어 보이는 것을 막기 위해 안전한 경계선을 그린다(사진에서 붉은선). 아래부위는 입꼬리 끝에서 턱뼈발달(mandible angle)에 이르는 연장선 이하로 실이 내려가지 않게 하고(가로 붉은선) 얼굴 내측으로는 측면 안각(lateral canthus)에서 직하방으로 내린 선 안쪽으로 들어가지 않게 하는 것이 좋다(세로 붉은선).

2) 실이 삽입될 입구부는 보통 눈썹에서 1-1.5 cm 상방 정도의 측두부에서 시작하게 되면 심부근막에 걸기도 편하고 캐뉼라를 원하는 부위까지 통과시키기도 용이하다. 캐뉼라가 나오는 출구부는 늘어진 부위에 따라 환자의 상태에 따라 가급적 안전한 경계선(붉은선) 안에서 유동적으로 디자인하는 것이 좋다.

3) 한쪽당 40 cm 이상 길이의 실을 2줄 이상 사용하는 디자인을 하고 늘어진 피부와 환자가 원하는 견인 방향에 따라 실이 지나가는 방향을 표시한다.

4) 세부적인 디자인

① 턱선 (V-Line)

주로 볼이 처진 경우에 처진 살을 올려주어서 얼굴을 갸름하게 만들어서 소위 브이라인을 만들어 줄 수 있는 디자인이다.

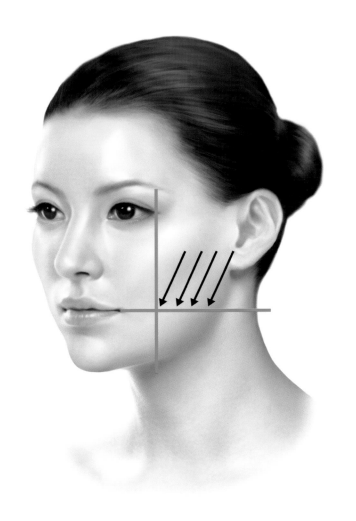

② 심술보(Jowl)

입가 옆 늘어진 피부를 올려주기 위한 디자인이다.

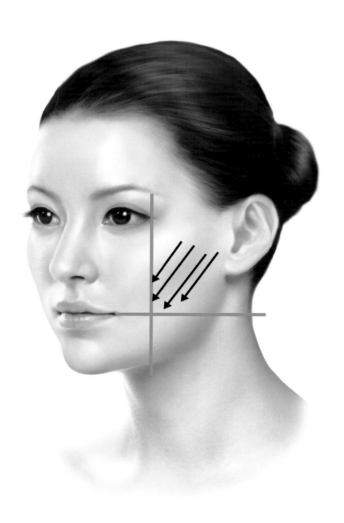

③ 팔자 주름(Nasolabial fold)

팔자 주름을 해결하기 위한 디자인인데 광대가 넓어져 보일 수 있어서 광대가 넓은 경우에는 주의해서 디자인해야
한다.

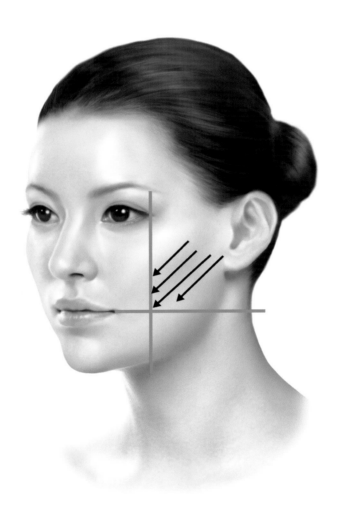

5. 시술방법

1) 수술할 부위를 마취를 한다. 바늘이 뚫는 부위는 주로 1:10만 에피네프린(epinephrine)이 섞인 2% 리도케인(lidocaine)을 주사하고 케뉼라가 통과하는 부위는 앞에서 마취 편에서 기술한 미니 튜메센트 용액을 주사한다. 마취 주사 후 출혈과 멍을 예방하기 위해서 5-10분 정도 기다렸다가 수술을 시작하는 것을 권한다.

2) 두피부위의 디자인 한 곳에 18 G 바늘이나 아울(awl)을 이용하여 구멍을 만든다. 하지만 익숙해지면 구멍을 뚫지 않고 바로 템포랄 니들(temporal needle)을 사용하여 통과시킬 수 있다. 머리카락이 구멍으로 들어가는 것을 예방하기 위해서 머리카락을 정리한 후 반창고를 붙여서 정리하거나 머리카락 일부를 짧게 자르고 수술하면 편리하다.

3) 심부 측두근막(deep temporal fascia)에 위치할 수 있도록 깊게 고정한다. 깊게 고정하기 위해서는 니들을 삽입할 때 직각으로 넣어 뼈에 닿는 듯한 느낌이 들면 원형의 니들을 돌려 두피를 뚫고 나와 심부 측두근막에 충분히 고정할 수 있다. 이때 정확하게 심부 측두근막에 걸리지 않으면 고정된 실 부분이 밑으로 내려와 실이 돌출되는 경우도 생길 수 있고, 고정부위(loop)가 하방으로 내려가면서 모낭에 손상을 주어서 탈모가 생길 수 있으므로 주의한다.

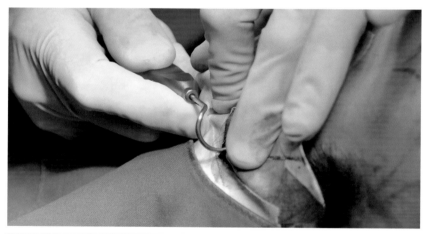

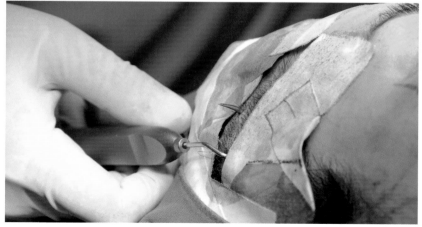

4) 이후 실의 한쪽 끝을 니들에 있는 구멍에 집어넣은 다음, 템포랄 니들을 다시 원형으로 돌려서 뺀다. 한 번에 두 개의 실을 넣어서 빼는 경우도 있지만 늘어진 조직을 당겨 올리는 벡터 방향에 따라서 실을 고정하는 부위를 바꿀 수 있어서 두개 이상의 구멍을 내기도 한다. 실의 중앙부분이 심부 측두근막에 위치하게 하기 위해서 양쪽 실의 길이를 맞추어 잡는다.

5) 자입부(entry site)로 캐뉼라를 집어넣은 후, 깊은 피하지방층 깊이에서 캐뉼라를 얼굴 아래 쪽으로 전진하여, 출구부(exit site)로 뚫고 나오게 한다. 이때 캐뉼라를 다 빼내는 것이 아니라, 캐뉼라는 자입부와 출구부에 걸쳐있게 위치시킨다. 캐뉼라를 통과 시킬 때는 진피가 걸리지 않게 하기 위해서 좌우로 흔들어 가며 조심스럽게 통과시켜야 하고 중간중간에 캐뉼라를 들어 올려서 진피 걸림여부를 확인해야 한다.

6) 이후 자입부 쪽 캐뉼라 입구로 실을 집어넣어서, 출구부 쪽 캐뉼라 끝으로 실을 밀어 넣은 후, 실이 끝까지 나온 것이 확인되면, 출구부방향 쪽으로 캐뉼라를 당겨서 빼낸다. 이때 자입부에 실을 넣을 때 머리카락이 들어가지 않도록 주의깊게 확인해야하며, 머리카락이 들어가면 포셉 등을 이용해 반드시 제거해 주어야 한다.

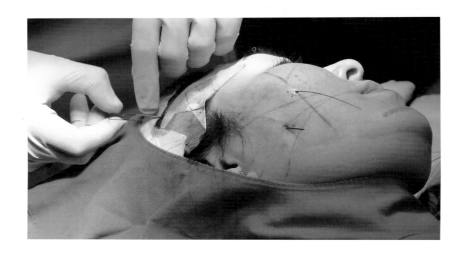

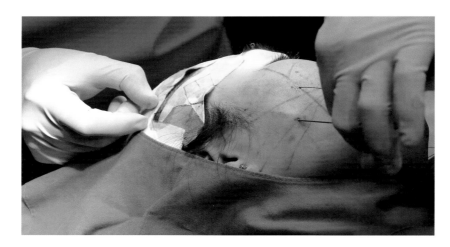

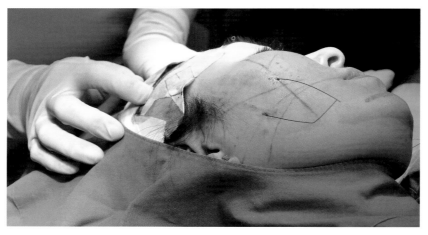

7) 양측에 실을 삽입하면 피부를 뚫고 나온 실을 가위를 이용하여 제거한다. 실을 어느 정도 당겨서 제거를 해야 나중에 표정을 지을 때 실이 돌출되는 것을 예방할 수 있다.

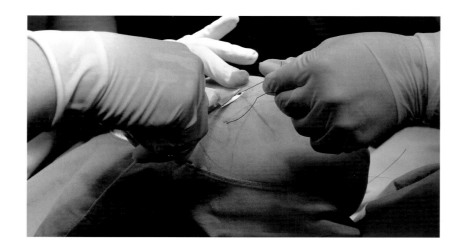

8) 돌출된 실을 제거한 후 출구부에 피부 꺼짐 있다면 손으로 위쪽에서 아래쪽으로 눌러주는 마사지를 하여 피부 꺼짐을 풀어 주어야 한다. 마사지를 할 때는 "뚜둑"하는 소리가 나게 되는데 실이 끊어진 게 아니라 가시에 걸렸던 조직이 풀리면서 발생하는 정상적인 소리이다.

9) 환자의 얼굴을 세워서 양쪽이 대칭인지, 피부 꺼짐과 같은 부작용은 없는지 확인한 뒤 수술을 끝낸다.

6. 주의사항

1) 시술 후 1-2주 정도는 시술부위의 통증이 있을 수 있으므로, 충분한 약물치료 및 과도한 표정근육 사용과 입을 크게 벌리는 행동을 금하는 것이 중요하다.

2) 시술 후 광대 부근의 피부가 부어 보일 수 있으나, 평균 2-3주정도 지나면 자연스럽게 자리 잡는다.

3) 시술 시 부분마취 효과 때문에 시술 직후 눈 뜨고 감는 것이 불편하고, 입가 근육의 움직임이 부자연스러워 입이 돌아간 것처럼 보일 수 있다. 이는 하루정도 지나면 사라지는 현상이므로 환자가 걱정하지 않도록 미리 충분한 설명을 하는 것이 좋다.

4) 수술 후 경과를 확인 할 때 가장 주위 깊게 관찰해야 하는 것은 실의 돌출 부위였던 출구부에 생길 수 있는 피부 꺼짐을 확인 하는 것이다. 만약 피부 꺼짐이 있다면 적극적으로 해결해야 한다. 4주 이상 해결해 주지 않는다면 피부 꺼짐(dimple) 현상이 영구적으로 남을 수 있다. 환자가 못 느끼는 경우에도 피부 꺼짐이 있는 경우가 있으므로, 가능하면 3-4주 정도에 환자의 경과를 보러 오게 해서 주의 깊은 관찰을 하는 것이 좋다.

7. 임상 전후 사진

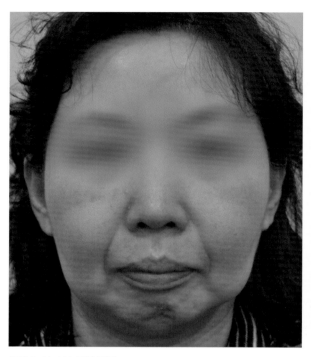 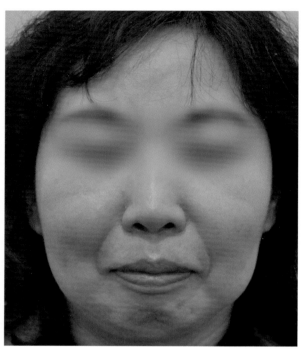

그림 5-41. 시술 전후 정면

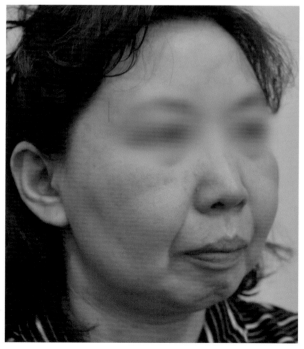 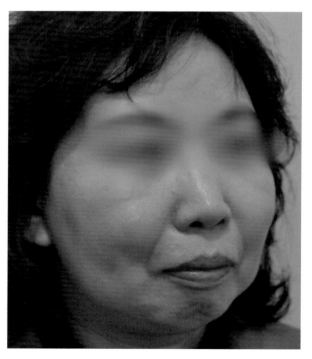

그림 5-42. 시술 전후 우측면

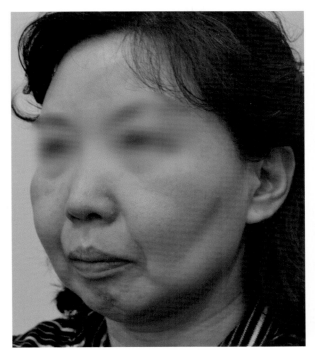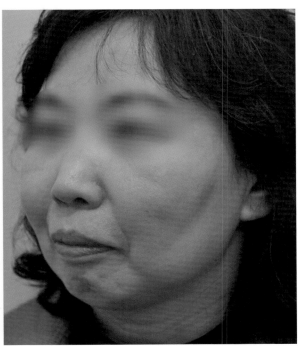

그림 5-43. 시술 전후 좌측면

[참고문헌]

1. (Meloplication of the Malar Fat Pads by Percutaneous Cable—Suture Technique for Midface Rejuvenation: Outcome Study(392 Cases, 6 Years' Experience). Plastic & Reconstructive Surgery. 09/2002: 110(2):635—54)
2. (Facial lifting with APTOS threads. Int J Cosmetic Surg Aethetic Dermatolo 2001;4:275—281)

SECTION 4

실 리프팅 테크닉 : 변형법 Variant type

1. 시술의 기본 배경지식과 개념

피하지방이나 표재성 근막, 하부 진피 등의 약간의 유동성이 있는 조직에 녹는 실을 고정하는 방법을 변형법(variant type, soft anchoring)이라고 저자들은 명명한다. 비교적 유동성이 있는 조직에 주로 단방향 실을 이용하여 매듭을 만들어 고정을 하게 되어서 매듭방법(tie technique)이라고 불리기도 한다.

고정형 방식에 비해 고정하는 지지대가 상대적으로 약하지만 작은 부위에 적용이 가능하며 머리카락 정리의 번거로움이 없고 시술법이 간단해, 고정형 방식에서 흔하게 나타나는 두통과 같은 부작용이 없다. 또한 고정형 방식에서 흔히 나타나는 광대가 커지는 현상을 피할 수 있고 시술 후 즉시 붓기, 출혈 등의 양상이 현저히 작아 시술결과를 환자가 바로 알 수 있도록 개선되는 장점이 있다.

2. 주된 임상적 적응증

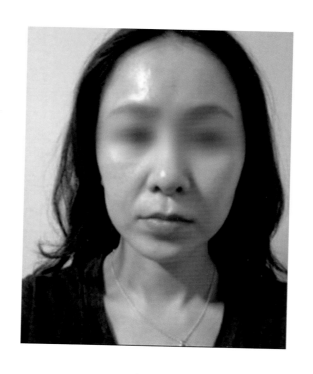

그림 5-44. 시술 전 사진

1) 광대가 큰 경우

2) 광대 밑이 꺼진 경우

3) 마른(얼굴에 볼살이 없는) 경우

4) 심술보처짐

5) 볼 처짐

6) 턱선 개선

7) 부분적으로 시술을 원하는 경우

8) 빠른 회복을 원하는 경우

3. 준비물(Instrument)

1) absorbable uni-directional thread

그림 5-45. 단방향 실 사진

2) 블런트 캐뉼라, 마취용 캐뉼라(지방이식용 캐뉼라 or 필러시술 시 사용하는 마이크로 캐뉼라)

3) 마취용액 10-20 cc

50세 이하 bupivacaine 20 ml + epinephrine 0.3 cc

50세 이상 naropine 20 ml + epinephrine 0.3 cc

4) dental lidocaine – 입구마취

5) 18 G needle (입구 puncture용)

4. 기본디자인

입구부(entry site)는 위쪽은 눈썹에 평행하면서 hair line이 만나는 부위로 정하고 아래쪽은 tragus 상방 1 cm 상방에서 hair line과 만나는 부위로 정한다. 실이 지나가는 방향을 리프팅 하고자 하는 벡터에 따라 방향을 정하면 된다^{그림 5-46, 5-47)}.

그리고 두 실로 매듭을 만든 후 두 실에 만드는 각도가 좁은 경우에는 힘이 강하게 걸려서 매듭이 조직을 파고 들어갈 수 있어서 아래로 내려가는 경우가 생길 수 있다. 그래서 두 실이 이루는 각도를 45도 정도 유지하는 것이 좋다.

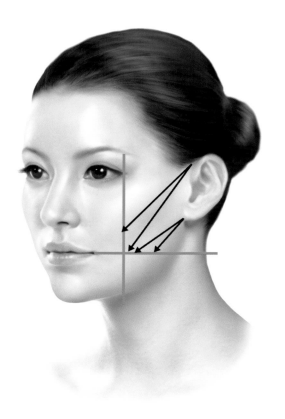

그림 5-46. 변형법 테크닉의 기본 디자인

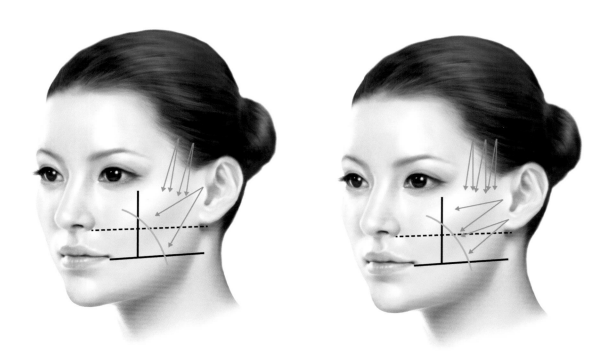

그림 5-47. 변형법 테크닉의 임상적 디자인 예

5. 시술방법

1) 입구부(entry site)마취는 치과용 리도케인(dental lidocaine)을 사용한다.

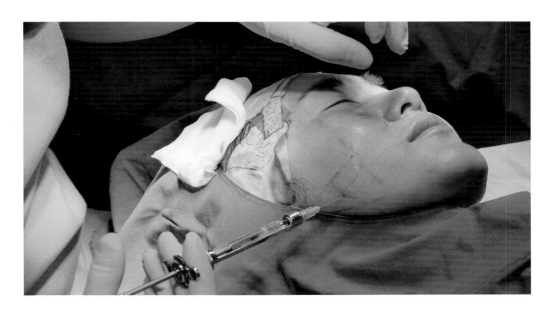

2) 11번 수술용 칼로 작은 절개를 하거나 18게이지 바늘로 puncture하여 구멍을 내서 매듭이 들어갈 수 있는 구멍을
　확보해야 한다.

3) 가이드 캐뉼라나 23 G바늘로 실이 지나가는 길을 따라 마취를 한다.

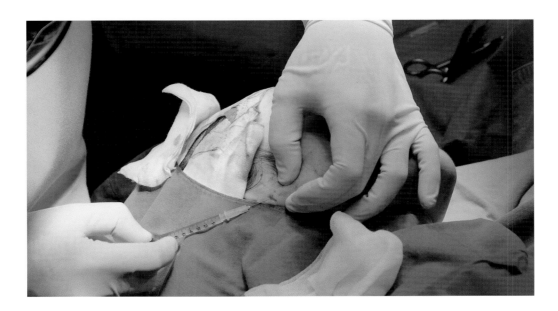

4) 10 cm 이상의 단방향 실을 일반적으로 4개 이상 준비한다.

5) 끝이 무딘 캐뉼라(blunt cannula) 삽입은 반대손으로는 피부를 약간 들어 올리는 느낌으로 피부를 살짝 꼬집듯이 잡아(pinch)가면서 피하지방층으로 실을 넣고자 하는 위치까지 캐뉼라 전진 한다. 캐뉼라는 피부를 뚫지 않는다.

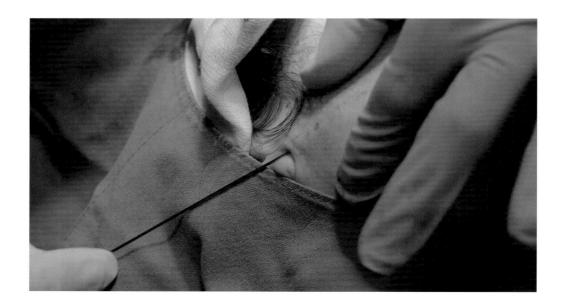

6) 실의 코그 방향이 캐뉼라 입구부(entry site)에서 캐뉼라 끝부위로 가도록 실을 쓸어내려보면서 코그의 방향을 확인한 후 실을 캐뉼라 속에 끝까지 넣는다. 한 손으로는 실을 잡고 반대손으로 조금씩 캐뉼라만 빼내면서 피부 속에 실만 고정시켜놓는다.

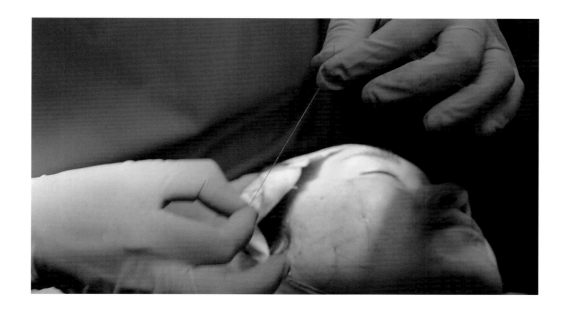

7) 같은 입구부(entry site)에서 디자인해 놓은 두 번째 실이 지나가야 할 방향으로 캐뉼라를 삽입한다.

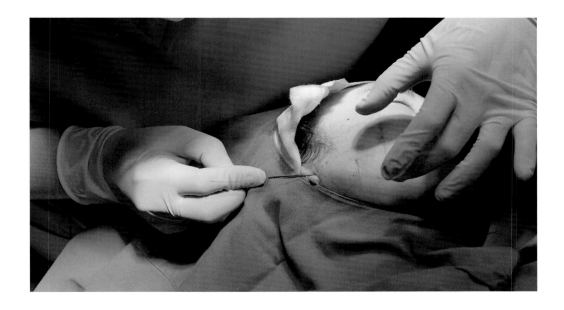

8) 역시 가이드 하고 있던 철심을 빼낸다.

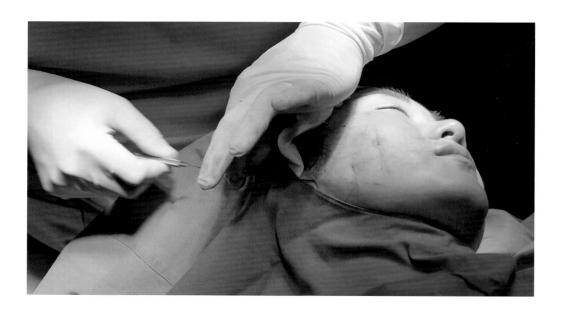

9) 6)과 같은 방식으로 실을 넣은 후에 캐뉼라를 뺀다

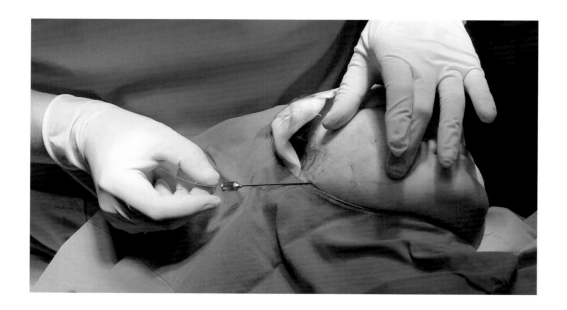

10) 한 구멍에 2개의 단방향 실을 나와있는 상태로 실을 3번이상 매듭을 만들어 준다(tie method).

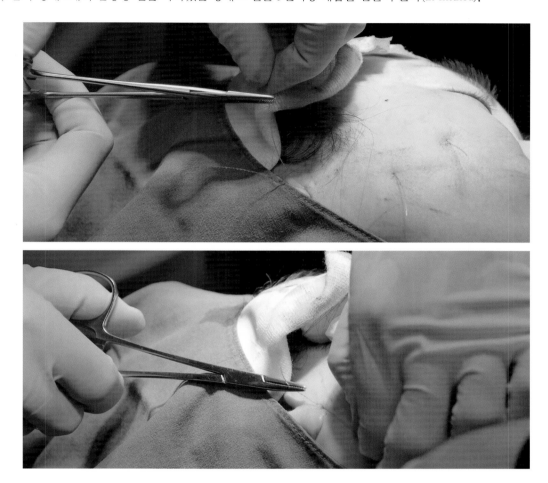

11) 매듭(knot)에 최대한 가깝게 실을 자른다.

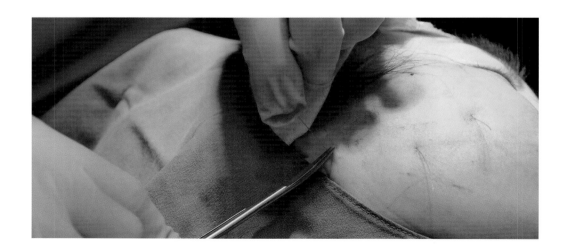

12) 매듭을 피부 속으로 넣으면서 마무리 한다(포셉이나 씨저 등으로 매듭을 피부 속으로 집어 넣어준다).

13) 수술 후 특별한 드레싱은 필요 없다.

6. 주의사항

1) 시술 후 1-2주 정도는 시술부위의 통증이 있을 수 있으므로, 충분한 약물치료 및 과도한 표정근육 사용과 입을 크게 벌리는 행동을 금하는 것이 중요하다.

2) 시술 tie 한 부위 주위로 피부가 부어 보일 수 있으나, 보통 2-3주정도 지나면 자연스럽게 자리를 잡게 된다.

3) 시술 시 부분마취 효과 때문에 시술 직후 눈 뜨고 감는 것이 불편하고, 입가 근육의 움직임이 부자연스러워 입이 돌아간 것처럼 보일 수 있으므로 미리 설명을 하는 것이 좋다. 하루정도 지나면 없어진다고 설명하면 된다.

4) 수술 후 경과를 확인 할 때 가장 주위 깊게 관찰해야 하는 것은 실을 타이한 부위의 통증과 피부 꺼짐(dimple)을 확인 하는 것이다. 만약 피부 꺼짐이 있다면 적극적으로 해결을 해주어야 한다. 4주 이상 지나서도 해결해 주지 않는다면 영구적인 피부 꺼짐이 남을 수 있다. 환자가 못 느끼는 경우에도 피부 꺼짐이 있는 경우가 있으므로, 가능하면 3-4주 정도에 환자의 경과를 보러 오게 해서 주의 깊은 관찰을 하는 것이 좋다.

7. 임상 전후 사진

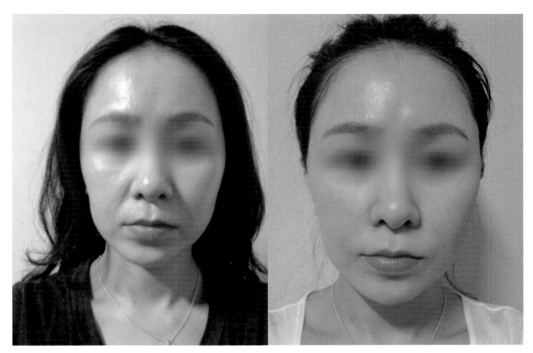

그림 5-48. 시술후 1주일 사진 정면

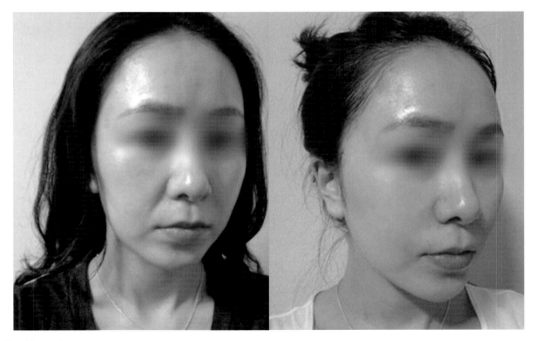

그림 5-49. 시술 1주 후

SECTION 5

실 리프팅 테크닉 : 비고정형 FLOATING TECHNIQUE

1. 시술의 기본 배경지식과 개념

돌기가 없는 실을 이용하는 리프팅 방법은 실을 여러 부위에 여러 방향으로 넣어주어서 피부의 탄력을 높이면서 리프팅의 효과를 얻는 방법으로 시술방법이 쉽고 붓기가 적어서 많이 시술되고 있다. 하지만 늘어진 조직을 당겨 올리는 즉각적인 리프팅 효과가 적고 리프팅 효과의 지속기간이 짧다는 단점이 있다.

리프팅 효과를 더 얻기 위해서는 실에 물리적 조작을 가해서 조직을 걸 수 있는 돌기(barb, cog)를 만든 실을 사용하여 늘어진 조직을 당겨 올리는 시술이 필요하다.

돌기 실을 이용한 리프팅은 돌기가 있는 실을 처져 있는 피부 또는 피하조직에 삽입을 하여 이 부위의 조직을 의도하는 방향으로 잡아당긴 후 실을 고정하는 리프팅 방법이다. 이 장에서는 실을 고정할 때에 피부 또는 피하 조직에 물리적인 고정점을 만들지 않고 실자체의 돌기의 힘으로 고정을 하는 방식인 비고정형방법(floating type)에 대해서 다루어 보고자 한다.

비고정형방법(floating type)으로 가장 대표적인 실은 압토스실(aptos thread)이다. 이 실은 러시아의 닥터 슐레마니츠가 만든 실로 7-10 cm 정도 길이의 비흡수사인 폴리프로필렌(polypropylene)에 돌기를 만들어 놓았다. 돌기의 방향을 양쪽 끝에서 중앙을 향해 만들어 실이 피부 및 피하 조직 속에 위치하게 되면 실의 중앙 방향으로 조직이 모이게 되는 형태의 실이다.

최근에는 PDO재질의 실이 많이 사용되면서 PDO를 재질로 하여 다양한 형태의 돌기 모양 및 길이를 가진 실들이 출시되어 시중에서 많이 사용되고 있다. 현재 가장 많이 사용되는 형태는 돌기의 방향이 서로 마주 보고 있는 양방향 돌기실(bi-directional cog)이다.

이러한 형태의 실은 앞서 언급한 압토스실처럼 실의 중앙을 향해 실의 양쪽 끝의 조직이 모이게 되며, 시술이 비교적 간단하면서도 다양한 위치에 고정점을 만들 수 있어 원하는 방향으로 리프팅을 할 수 있으며, 비교적 효과가 강력하기 때문에 기본적인 실 리프팅 방법으로 가장 널리 사용 되고 있다.

양방향실의 리프팅 원리는 단단한 조직과 유연한 조직이 동시에 걸려 양측에서 힘을 받을 경우 유연한 조직이 단단한 조직쪽으로 끌려오는 현상이다. 이러한 원리를 이용하여 단단한 측두부에서 유연한 하관의 피부 조직을 서로 걸어 당기게 되면 측두부보다는 하관의 조직이 당겨 올라오는 것이다.

그리고 이 방식은 고정형 방식에 비해 실의 개수에 대한 제한이 덜하고 시술 자체가 간편하여 시술 후 측부두 통증이 적고 회복이 빠른 장점도 있다.

이 방식으로 시술 시 사용되는 실은 양방향 돌기실과, 양방향의 돌기가 여러 개가 반복이 되는 다방향실(multi-directional cog/zigzag cog)이나, 실 위쪽과 아래쪽에 반대방향의 돌기를 가지고 있는(spike cog) 실 등이 있다(그림 5-50).

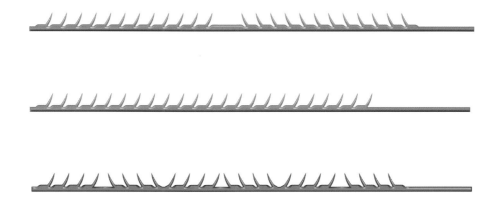

그림 5-50. 다양한 실의 모식도

2. 주된 임상적 적응증

임상적으로 많이 시술이 되는 적응증은 다음과 같다.

1) 심술보(Jowl)
2) 팔자 주름(Nasolabial fold)
3) 턱선(V-line)
4) 이중턱(Double chin)
5) 전반적인 리프팅/탄력개선
6) 눈썹/이마

3. 준비물

1) 디자인 : 수술용 마커, 매직, 보드 마커, 펜슬

일반적으로 사용되는 수술용 마커나, 매직 또는 필러 시술 시 사용하는 펜슬 등을 이용하여 디자인을 한다. 수술용 마커는 잘 지워지지 않아서 시술 시 편하기는 하나, 시술 후 남은 마킹 부위를 지우는 것이 힘들기 때문에 보통의 경우 보드 마커 등을 많이 사용하게 된다.

2) 모발 정리 : 머리띠, 고무밴드, 테이프

비고정형 실 리프팅 시에는 머리카락을 자르는 경우는 거의 없다. 하지만, 머리카락이 피부 속으로 들어가면 향후 염증 및 이물 반응을 야기하게 되므로 머리카락이 들어가지 않도록 주의를 기울여야 한다. 머리띠나 고무밴드 등을 사용하여 시술부위 근방의 머리카락을 고정 시키고 머리카락과의 접촉을 줄이기 위해 헤어 라인에 테이프를 부착하면 이러한 가능성을 줄이는데 도움이 된다.

3) 소독 : Povidone iodine, chlorhexidine, 소독포, 방포

감염을 막기 위해 시술 부위는 철저히 소독을 해야 한다. 일반적인 주사치료 시 사용하는 povidone iodine이나 chlorhexidine 등을 사용하여 시술 부위를 소독하도록 하여야 한다. 특히, 시술 시 머리카락과 접촉을 하게 되는 경우가 있으므로 두피 부위는 미리 테이핑을 한 곳을 포함하여 가급적 시술범위 보다 넓게 소독하는 것이 좋다. 이후, 소독된 방포나 소공을 사용하여 시술 부위만 노출을 시킨다.

4) 마취 : 2% 리도케인, 생리식염수, 에피네프린, 탄산수소나트륨(sodium bicarbonate)

시술 시 비교적 굵은 직경의 캐뉼라나 긴바늘을 사용하게 되므로 대부분의 경우는 연고 마취만으로는 시술이 불가능하다. 또한, 바늘을 사용하여 시술을 하게 되는 경우 멍이 드는 경우가 종종 있는데 혈관 수축제인 에피네프린이 함유된 주사마취를 미리 시행 후 시술을 하면 멍의 가능성을 현저히 떨어뜨릴 수 있다.

실의 자입점 부위는 바늘이나 아울을 이용하여 구멍을 뚫고 실을 집어 넣게 되므로, 실이 들어갈 입구 부위부터 미리 주사마취를 하는 것이 좋은데, 보통 1:100000 비율의 에피네프린을 포함하고 있는 1-2% 리도케인을 이용하여 주사 마취를 해준다. 리도케인이 산성 물질이기 때문에 마취 통증을 줄이기 위해서는 8.4% 탄산수소나트륨(sodium bicarbonate)를 마취액에 소량 섞어주면 주사 시 통증을 줄일 수 있다.

이후, 실이 삽입 되어질 곳에 주사마취를 한다. 일반적으로 안면거상술시 사용되는 투메슨트 용액은 리도케인을 0.2-0.3%, 에피네프린을 1:250,000-500,000의 비율로 제작하는데, 저자들이 사용하는 마취용액은 다음과 같다. 제조된 마취액을 26-30 gauge의 긴바늘이나, 캐뉼라를 사용하여 마취를 한다. 일반적으로 양방향 돌기실은 돌기부위가 9 cm내외인 경우가 많으므로, 마취용 캐뉼라는 내경 0.7-0.8 mm 정도로 10 cm 내외정도의 길이로 제작하여 사용한다. 멍을 적게 들게 하려면 마취 후 5분 이후에 시술을 하는 것이 좋다.

〈마취용액〉

N/S 100 cc	2% lidocaine 20 cc
8.4% sodium bicarbonate 10 cc	1:1000 epinephrine 0.2 cc

5) 실

현재 돌기실은 포장 속에 돌기실만 들어있거나, 바늘 또는 캐뉼라에 실이 끼워져 있는 형태로 판매가 되고 있다. 시술할 때 캐뉼라를 사용하는 경우에는 실에 붙어있는 바늘이 필요 없으므로 만일 바늘에 끼워져 있는 실을 사용한다면 바늘에서 실을 뽑아내서 실만 준비를 해놓는 과정이 필요하다. 만일 끝쪽에 돌기가 없는 부분이 있다면 돌기 없는 부분은 가위 등을 이용하여 잘라낸 후 돌기 부위가 끝에 위치하도록 하여 준비한다.

6) 캐뉼라

시술 시 멍을 줄이고 조직 손상을 줄이기 위해서는 끝이 날카로운 바늘 보다는 끝이 뭉뚝한 캐뉼라를 이용하여 시술을 하는 것이 좋다. 최근에는 실과 캐뉼라가 일체형으로 나온 제품들도 있기 때문에 그러한 제품을 이용하거나, 따로 캐뉼라를 제작하여 사용하면 된다.

캐뉼라를 제작할 때에는 캐뉼라의 내경과 길이를 정해줘야 하는데 일반적인 돌기실의 경우 1-0 굵기는 18 G, 2-0 굵기는 19 G로 제작하면 되는데, 최근에 출시한 몰딩 형태의 돌기실이나 돌기부위가 깊게 만들어진 실을 사용할 때에는 내경을 이것보다 한 단계 넓게 만들어야 한다(1−0는 17 G, 2−0는 18 G).

　길이는 돌기 부위가 모두 포함되어야 하므로 주로 사용할 실의 코그 길이를 확인 후 이것보다 0.5 cm에서 1 cm정도 긴 것을 사용하는 것이 좋다(9 cm 코그실을 사용할 경우 캐뉼라 길이는 9.5−10 cm정도).

4. 기본 디자인

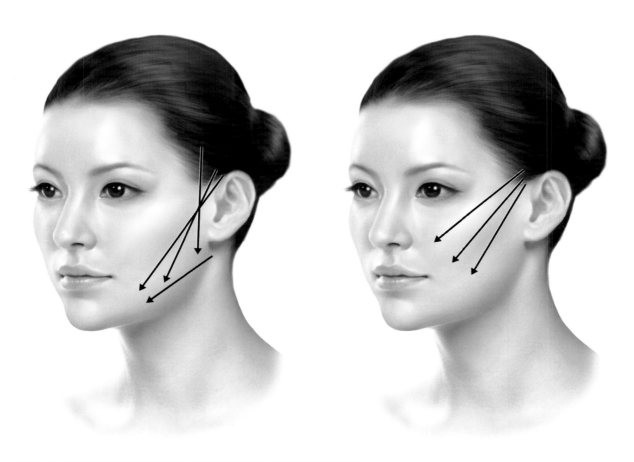

그림 5−51. 비고정형 테크닉의 기본 디자인 (좌) 광대가 큰 경우, (우) 광대가 작은 경우

5. 시술방법 및 부작용 최소화 방법

1) 캐뉼라를 이용한 방법

(1) 미리 디자인 해 둔 자입부를 18 G 바늘이나 아울을 이용하여 구멍을 뚫는다. 아울을 이용하는 경우 바늘에 비해 혈관 손상이 적기때문에 바늘보다 아울로 구멍을 뚫는 것이 좋다.

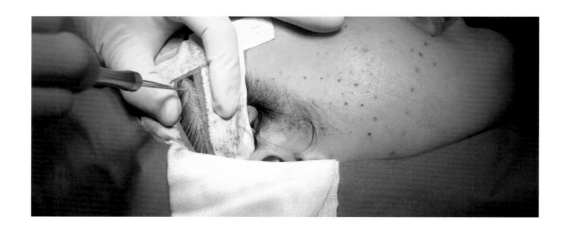

(2) 먼저 수직방향으로 캐뉼라를 넣는다. 깊이는 피하지방층 또는 근막 위쪽까지 도달하도록 하며, 이후 캐뉼라를 90도 회전을 시켜 피부와 평행한 방향이 되도록 하여 피하 조직 내에서 이동하도록 한다. 오른손잡이의 경우 보통 오른손으로 캐뉼라를 조작하게 되는데, 이때 캐뉼라가 진행하게 될 부분의 피부를 왼손을 사용하여 들어 올리면 캐뉼라의 진행방향도 정확히 할 수 있고, 캐뉼라가 피하지방층 깊이에 쉽게 위치할 수 있게 해준다.

깊이는 너무 깊이 들어가면 침샘과 같은 조직의 손상을 야기할 수 있고, 너무 표면에 위치하면 시술 후 피부가 울거나 피부 꺼짐이 발생할 가능성이 높아지므로, 피하지방층을 목표로 한다. 캐뉼라를 끝까지 삽입하였으면, 피부 표면 쪽으로 약간 들어 올려 보아서 들어간 깊이를 가름해본다. 캐뉼라의 윤곽이 뚜렷하게 보이거나 부드럽게 흔들리지 않으면 너무 표면으로 삽입된 것이므로, 이러한 경우 캐뉼라를 제거한 후, 다시 시술을 하여 피하지방층에 위치시키면 된다.

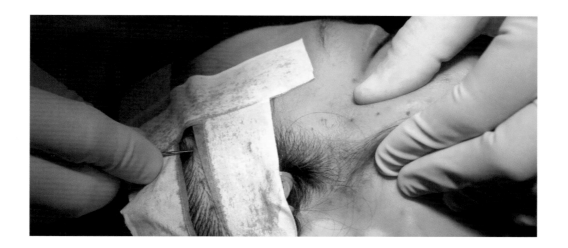

(3) 캐뉼라 내침을 제거하고, 캐뉼라의 구멍에 실을 집어넣는다. 실은 돌기 부분이 모두 삽입되고 더 이상 실을 밀어 넣어도 전진이 안 되는 상태까지 밀어 넣는다. 오른손잡이의 경우 오른손으로 실을 계속 밀어주면서 왼손으로 캐뉼라를 조금씩 빼내면 실의 끝쪽 돌기가 피부에 고정이 되는데, 캐뉼라를 1-2 cm 정도 빼낸 후에 실을 오른손으로 당겨 보아 실이 고정된 것이 확인이 되면 남은 캐뉼라 부위를 빼낸다.

실이 고정되지 않고 빠져나온다면 실의 끝 쪽 돌기부위가 피하조직과 접촉이 되지 않았기 때문이므로, 다시 같은 방식으로 시술을 해보면 된다. 만일, 그렇게 하는데도 계속 실이 고정이 되지 않는다면, 우선 실 끝 쪽 부위를 관찰하여 돌기가 있는지 확인하고, 캐뉼라 안쪽에 막힌 부분이 있는지 살펴보고 실을 밀어 넣을 때 혹시 실이 휘어서 일직선으로 들어가지 못하고 있는지 확인을 하여 그래도 실이 고정이 되지 않는다면 새로운 실을 사용하여 시술을 하면 된다.

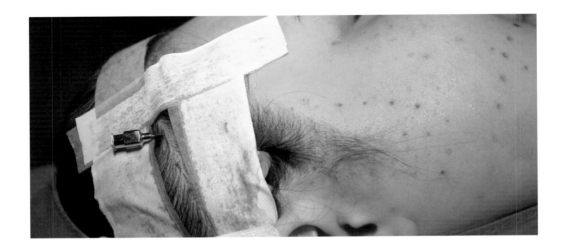

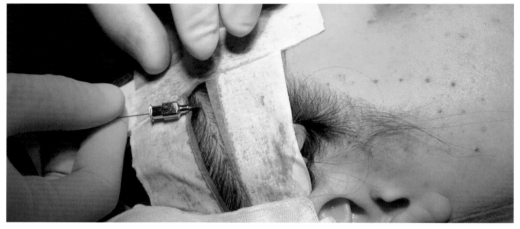

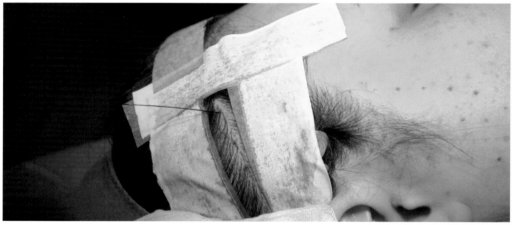

(4) 상기와 같은 방법으로 실 리프팅 시술 후, 환자를 앉는 자세로 세워 좌우의 대칭을 맞춘다. 한쪽이 덜 올라간 경우는 그쪽에 실을 더 집어넣거나, 실을 당겨서 교정을 한다.

(5) 대칭을 확인 후, 피부 바깥쪽에 나와 있는 실을 가위를 이용하여 절단한다. 이때, 한손으로는 실을 살짝 당기면서 가위를 피부 쪽으로 살짝 밀어서 자른다. 이렇게 하면 실이 들어간 곳에서 약간의 피부 꺼짐이 발생하게 되는데, 피부 꺼짐이 발생한 곳에서 약간 원위부에 엄지손가락을 대고 근위부 방향으로 힘을 가하면 피부 꺼짐이 없어지면서 실이 피하 조직 속으로 삽입되게 된다.

실을 당길 때에 너무 많이 잡아당기면 조직을 지탱해야 할 돌기 부분이 많이 사라지게 되어 실이 이동하게 될 가능성이 높아지므로, 너무 강하게 당겨서 실을 자르는 것은 피하는 것이 좋다.

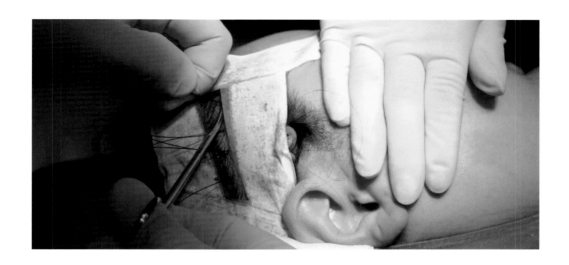

2) 바늘 일체형 또는 캐뉼라 일체형 돌기실 사용 시

기본적인 테크닉은 캐뉼라를 이용한 방법과 동일하나 일체형 실의 경우 일단 바늘 또는 캐뉼라가 피하조직에 삽입이 되면 교정이 불가능하므로 정확한 깊이를 찾아 시술을 해야 한다. 따라서 이러한 방식은 캐뉼라를 이용한 방식이 익숙해진 후에 시도해보는 것을 추천한다.

3) 부작용을 줄이는 팁 (Advanced tips)

(1) 피부 꺼짐(dimple)및 실의 이동(migration) 피하는 법

꺼짐 현상은 실에 의해 당겨지는 아래쪽 피부가 마치 보조개처럼 패어 보이는 현상을 의미한다. 피부 꺼짐은 시술 직후 리프팅 효과를 강하게 하기 위해 일부러 남겨놓는 경우도 있고, 시술 후 1–2주 후에 늦게 발생하는 경우도 있다. 피부 꺼짐이 발생하면 가급적이면 적극적으로 빨리 해결을 해주는 것이 좋은데, 1달이 지나면 유착이 생겨 해결이 어려울 수 있으므로, 시술 후 1달 이내에 해결을 해주는 것이 좋다. 시술 후 3–4주 이내에는 실 돌기의 반대 방향으로 강하게 마사지 하면 대부분 소실된다. 시술 시 통증이 있으므로, 국소 마취주사를 놓고 시술하는 것이 좋다. 만일 마사지로 해결되지 않으면 실을 제거하는 것이 좋다.

돌기실을 사용하는 경우 아래쪽 부위나 위쪽 부위로 실이 이동하면서 뾰루지처럼 볼록하게 나오는 경우가 있다. 실의 고정점이 약한 경우 반대쪽으로 이동하려는 힘을 견디지 못할 때 이러한 현상이 발생한다. 양방향 돌기실을 사용하는 경우라면 실의 돌기가 손상되지 않도록 하는 것이 중요하고, 가급적 실의 양쪽 돌기의 길이가 비슷하도록 실을 삽입하여야 한다. 실의 끝 부분이 뾰루지처럼 튀어나온 상태라면 18 G 정도의 굵은 바늘로 피부를 뚫고, 마이크로 포셉 등의 기구를 이용하여 실을 잡아 뽑아내는 것이 좋다. 실을 뽑아야 하는 상황이 발생하면 부분적으로 자르지 말고, 완전히 제거를 해내야 한다. 웃거나, 음식을 씹거나 말을 하는 등의 표정을 짓게될 때, 큰 광대근(zygomaticus major)등의 근육이 수축을 하게 되고, 이때 실의 끝 부위가 피부 표면쪽을 잡게 되면 피부 꺼짐 현상이 발생하게 되며, 고정되어 있는 부분의 돌기의 힘이 약하거나 풀리게 되는 경우 실이 얼굴 아래 쪽 방향으로 이동을 하거나 튀어나오게 된다. 앞서 언급한 지그재그 형태나 스파이크 형태의 돌기 실은 실의 구조상 양방향 돌기 실에 비해서 피부 조직을 한 곳으로 모아주는 힘이 약하기 때문에 리프팅 효과는 떨어지지만 돌기 형태의 특성상 실의 이동이 적은 장점이 있다. 따라서 비고정형 실 리프팅 시술시 양방향 돌기

실과 이러한 형태의 실을 섞어서 시술을 하면 피부 꺼짐 같은 부작용을 예방하는데 도움이 되는 경우도 있다. 저자의 경험상 양방향 돌기실과 이러한 고정/지지대 역할을 하는 실의 비율을 1:1로 하여 시술을 하고 있다_{그림}^{5-52).}

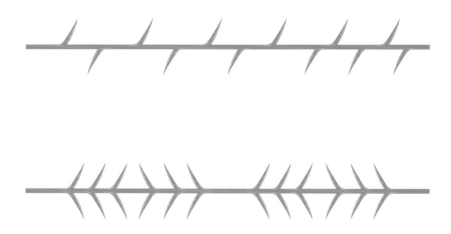

그림 5-52. **고정지지 역할을 하는 실**

(2) 광대 커짐을 줄이는 법 – 짧은 양방향 돌기실을 사용해서

현재 가장 많이 사용되고 있는 양방향 돌기실은 돌기 부위의 길이가 보통 9 cm 내외이다. 양방향 돌기실의 경우 마주 보는 돌기의 중앙 부위로 피부 조직이 모이는 현상이 발생하게 되는데, 가장 많이 사용되는 돌기가 9 cm인 양방향 돌기실을 사용하는 경우 눈썹라인 또는 상방 1-2 cm 정도의 높이에서 턱선 쪽으로 실이 삽입되어지므로 이로 인해 부득이 하게 돌기가 마주보는 부위가 광대 근방에 위치하게 되므로 시술 후 광대가 커지는 현상을 피하기 어려워진다. 이러한 현상을 줄이는 방법으로 돌기 길이가 6 cm 내외의 짧은 양방향 돌기실을 외안각 수평 위치의 헤어라인 높이에서 턱선을 향해 수직방향으로 삽입 하면 광대 부근이 커져 보이는 현상을 줄일 수 있다. 돌기 부위의 길이가 짧으면 실이 피부조직에 걸리는 힘이 약하게 되므로 돌기가 피부에 강하게 걸릴 수 있는 실을 사용하는 것이 중요하다. 일반적으로 몰딩타입의 실이 컷팅타입의 돌기보다 버티는 힘이 좋고, 단위면적당 돌기의 개수가 많고, 돌기가 한 방향 보다는 양방향으로 있을수록 피부에 결합되는 힘이 강해지게 되므로, 이러한 기준에서 실을 선택하면 된다_{(그림 5-53, 5-54).}

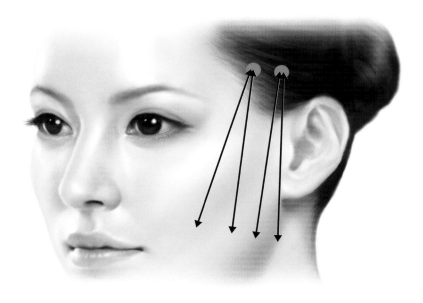

그림 5-53. 일반적인 양방향 돌기 실 디자인

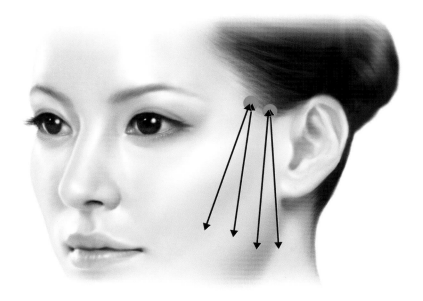

그림 5-54. 짧은 돌기실을 이용한 디자인

6. 주의사항

1) 비고정형 실 리프팅 시술 후 1-2주 정도는 시술 부위에 통증이 있을 수 있다. 특히 실이 들어간 자입점 부근이나, 실의 돌기가 피부와 닿는 지점에서 발생한다. 시술 부위가 눌리거나 입을 강하게 벌리는 등의 자극을 주게 되면 통증이 더 심하게 유발되므로, 과도한 표정 근육 사용과 입을 크게 벌리는 행동은 피하게 하는 것이 좋다.

2) 시술 후 광대 부근의 피부가 부어 보일 수 있으나, 보통 2-3주 정도 지나면 자연스럽게 자리를 잡게 된다.

3) 시술 시 부분마취 효과 때문에 시술 직후 눈 뜨고 감는 것이 불편하고, 입가 근육의 움직임이 부자연스러워 입이 돌아간 것처럼 보일 수 있으므로 미리 설명을 하는 것이 좋다.

4) 시술 직후부터 1달 내에는 피부 꺼짐이 발생할 수 있다. 1달이 지나서도 피부 꺼짐이 지속되면 영구적인 피부 꺼짐이 남을 수 있기 때문에 피부 꺼짐이 보인다면 가급적 빨리 적극적으로 해결을 해 주는 것이 좋다.

7. 임상 전후 사진

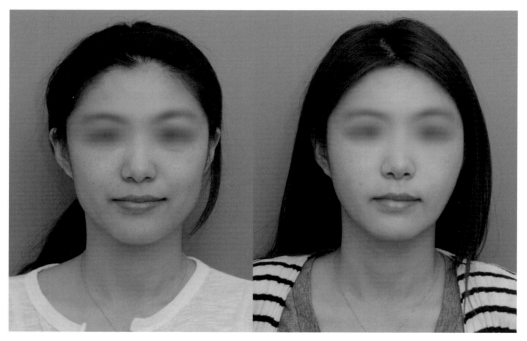

그림 5-55. 시술 3개월 후 정면

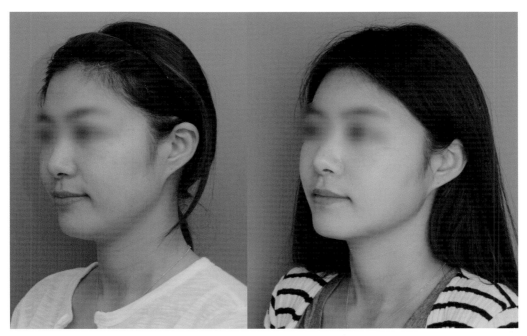

그림 5-56. 시술 3개월 후 측면

SECTION 6

실 리프팅 테크닉 : 수직법 Vertical lifting

1. 시술의 기본 배경지식과 개념

안면의 노화는 중력의 영향과 피부 콜라겐 감소로 인해 수직으로 피부가 내려오게 된다. 그런 와중에 안면의 다양한 지지인대(retaining ligament)들이 조직을 지탱하는 구조로 되어 있다. 그 결과 피부의 처짐이 마치 입가 주름(marionet line)쪽으로 밀려 보이는 내측하방으로 관찰된다. 이로 인해 리프팅 시술 방향이 마치 내측하방의 반대방향인 외측상방으로 고정되어 왔다. 그러나 이것은 지지인대의 지지의 결과이지 실제로 피부가 내측하방쪽으로 내려오는 것은 아니다(그림 5-57).

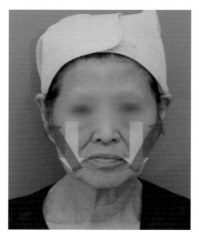

그림 5-57. 피부처짐의 실제 방향과 리프팅 방향의 차이점(노랑: 중력방향 / 파랑: 고전적인 리프팅 방향)

기존의 모든 실 리프팅과 안면거상술은 기본적으로 관자놀이와 귀쪽 방향을 향하는 외측 상방으로 거상하는 방법으로만 시술되었다. 이러한 시술법은 사실 안면의 기본적인 노화방향과는 정확히 일치되는 반대 방향은 아니었다. 그로 인해 좋은 리프팅 결과를 위해 외측상방으로 과도하게 견인하여 시술을 한 경우 거상 방향이 외측으로 향하게 되어 어색한 표정이나 얼굴이 커져 보이는 현상 등이 있었지만 약하게 견인하는 경우 리프팅 효과가 떨어져 되어 가능하다면 강하게 거상하고 얼굴이 커지더라고 환자들을 설득하는 방법 외에는 달리 해결할 수 있는 방법 없었다(그림 5-58).

이에 저자들도 기본의 술기를 시행하면서 많은 고민을 하여 기존의 리프팅의 방법을 보완하고 좀 더 안면노화의 방향에 부합하는 새로운 형태의 리프팅 방법을 고안해 시술하게 되었다. 그것을 저자들은 "수직 리프팅 테크닉(vertical lifting technique)"이라 명명하였다. 이것은 중력방향으로 피부가 처짐으로 인해 발행하는 안면노화를 소위 앞볼이라 불리는(anterior malar) 부위를 중심으로 입가주름을 리프팅하여 피부과 중력방향에 정확히 반대방향으로 리프팅되게 하며 기존의 외측상방의 사선방향 리프팅만으로는 개선시키기 어려운 입가 주름과 팔자주름을 개선할 수 있도록 하였다. 또한 리프팅 시술 후 나타나는 고질적인 문제인 광대의 커짐 현상과 안면이 넓어보이는 현상등을 완화시킬수 있었다.

이는 수직 리프팅시 에는 17–19 cm 정도의 통상적인 길이의 실이 아닌 6–9 cm의 비교적 짧은 실을 사용해야만 하였으나 사실 17–19 cm 정도의 길이를 가지는 코그실이 아닌 상대적으로 짧은 6–9 cm 정도의 기존 형태의 코그실에서는 견인력과 인장력이 충분히 발생하지 못하여 시술을 하였을 때 조직을 걸여 견인하지 못하고 실이 빠져나오거나 걸려진 조직인 쉽게 풀리는 현상 등의 문제가 있다.

그러나 최근에는 커팅(cutting)형 코그(cog)형태가 아닌 몰딩(molding)형 웨지(wedge)형태의 실이 나오면서 짧은 길이에서도 시술에 필요한 견인력과 인장력을 만들 수 있게 되었다.

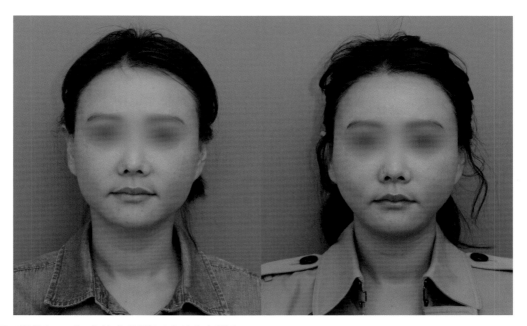

그림 5-58. 외측상방으로 리프팅시술 후 발생한 광대, 안면 커짐현상

2. 주된 임상적 적응증

임상적으로 많이 시술이 되는 적응증은 다음과 같다.

1) 가볍게 리프팅을 받고자 할 때

2) 앞볼 볼륨을 증대시키고 싶은 경우

3) 기존의 방법에 추가적인 시술이 필요할 경우

4) 노화로 인한 피부처짐이 너무 심한 경우

5) 광대가 발달한 경우

3. 준비물(Instrument)

1) 6-9 cm absorbable bi-directional molding wedge thread

그림 5-59. 몰딩실의 모식도

2) blunt cannula, 마취용 캐뉼라(지방이식용 cannula or 필러시술시 사용하는 microcannula)

3) dental lidocaine - 입구마취

4) 18G needle (entry puncture 용)

4. 기본 디자인

시술은 6-9 cm 전후의 짧은 코그실을 이용해 하안검 하방 1 cm 정도 부위에서 3-4개 정도를 삽입하여 턱선 상방 1 cm 정도까지 캐뉼라 끝이 닿도록 한 후 전진한다. 이후 캐뉼라를 제거하고 실을 당겨 조직을 거상한 후 끝에 남아있는 실을 제거한다.

경우에 따라 광대 밑 공간을 채우거나 심술보만을 집중적으로 거상하기 위한 변형된 방법도 사용해 볼 수 있다(그림 5-60).

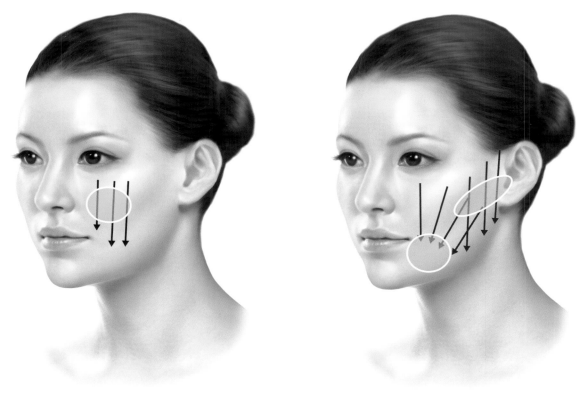

기본 테크닉   변형 테크닉

그림 5-60. 수직 리프팅 테크닉 기본 디자인

5. 시술 방법

먼저 안와하공 전달마취(infraorbital nerve block)를 한다. 가능하다면 디자인을 한 라인을 따라 마취액(tumescent)을 주입하는 것도 좋다(그림 5-61).

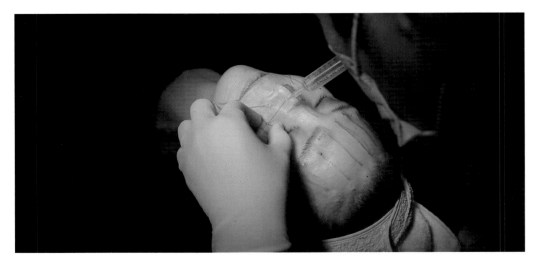

그림 5-61. 마취하는 장면

이때의 환자 자세 역시 일반적인 실리프팅 자세와 같이 목을 신전시키고 상체를 약간 뒤로 눕히는 자세(extended neck trendelenburg position)를 취한다.

실이 삽입된 니들을 위에서 아래방향으로 삽입한다(그림5-62). 시술은 하안검 하방 1 cm 정도 부위에서 3-4개 정도를 삽입하여 턱선 상방 1 cm 정도까지 니들 끝이 닿도록 한 후 전진한다. 이때 앞볼을 다른손으로 조직을 잡아당겨 올린 후 삽입하는 것이 좋다.

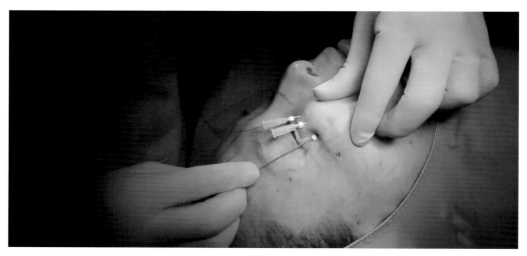

그림 5-62. 실을 삽입하는 장면

이후 삽입된 니들을 한번에 제거하고 각각의 실을 당겨 조직에 걸려있는지 확인한다(그림 5-63, 5-64). 이때 빠지는 경우는 실을 제거하고 다시 삽입한다.

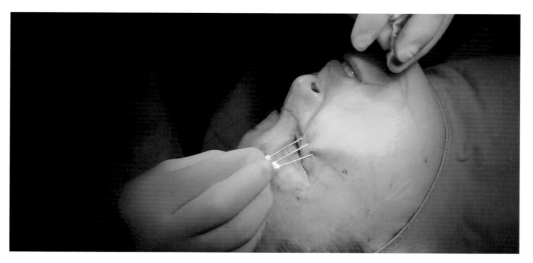

그림 5-63. 실을 당겨 조직확인

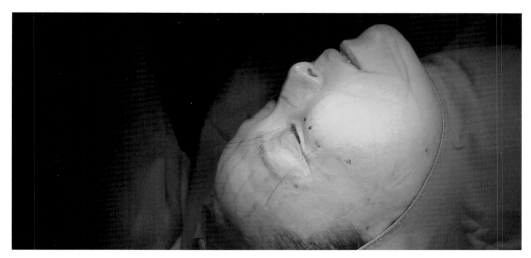

그림 5-64. 삽입된 바늘을 제거하는 장면

끝에 남아있는 실을 가위로 제거한다(그림 5-65). 이때 피부를 약간 밀면서 커팅을 해야 실이 자입점 밖으로 다시 나오는 일을 막을 수 있다. 이후 약간의 마사지를 하여 자입점 주위로 피부함몰이 생기지 않게 한다.

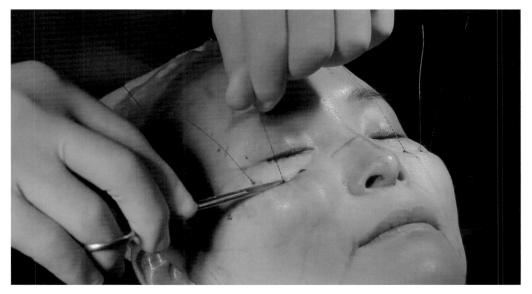

그림 5-65. 남은 실을 가위로 제거하는 장면

6. 주의사항

일반적인 실 리프팅 시술 시의 주의사항과 동일하다.

7. 임상사진

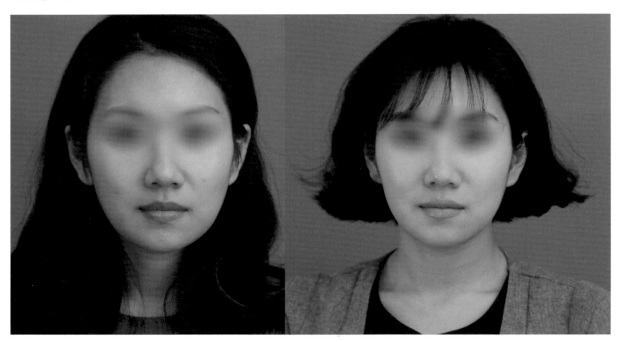

그림 5-66. 정면: (좌) 시술 전, (우) 시술 2개월 후

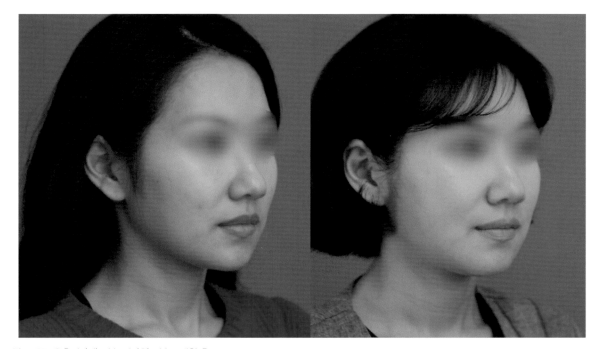

그림 5-67. 우측면: (좌) 시술 전, (우) 시술 2개월 후

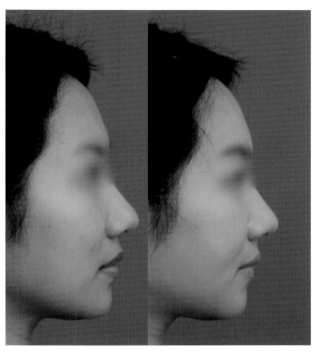

그림 5-68. 측면: (좌) 시술 전, (우) 시술 2개월 후

[참고문헌]

1. Vertical Lifting: A New Optimal Thread Lifting Technique for Asians. Kang SH1, Byun EJ, Kim HS. Dermatol Surg. 2017 Apr 19

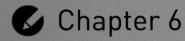

Textbook of
Absorbable
Thread
Lifting

Chapter 6

임상케이스별 시술법

SECTION 1

기본용어정리

현재 시장에는 다양한 길이와 형태를 가지는 실이 존재하므로 그 상품명을 기재하는 것보다는 실의 규격화된 용어의 정리가 필요하여 저자들은 다양한 실의 종류에 따른 혼돈을 피하기 위해 실의 종류에 대한 기술 방법을 통일, 정리하여 기술하고자 한다.

먼저 코그길은 실의 길이(실전체에서 코그가 차지하는 길이) 코그실의 굵기, 방향성, 코그 제조방식 그리고 사용된 캐뉼라 혹은 니들의 굵기의 순으로 기술하고자 한다.

규격 표시 예시
1) 코그실

실의 전체길이(cm)	코그의 길이(cm)	코그실의 굵기	방향성	코그 제조방식	사용된 캐뉼라 혹은 니들의 굵기
17	9	1–0	Bi–directional	Cutting	18G(C)
9	6	2–0	Uni–direction	Molding	19G(N)
44	20	3–0	Multi–dictional		

예시) 17(9) cm 1–0 bi–directional cog (cutting) 18G(C) X 10

모노실의 경우는 사용된 니들의 총길이, 실의 굵기, 실의 종류(mono, multi, twisted), 사용된 캐뉼라 혹은 니들의 굵기 순으로 기술한다.

2) 모노실

니들의 총길이(cm)	실의 굵기(G)	실의 형태	사용된 니들 혹은 캐뉼라의 굵기
2.5	28G	Mono	29G(C)
4	29G	multi	30G(N)
6	30G	Twisted	31G(N)
	31G		

예시) 4 cm 6–0 mono 30G(N) X 50

SECTION 2

임상증례에 따른 시술방법

증례 01 **부드러운 턱선, 과도한 턱밑 지방**

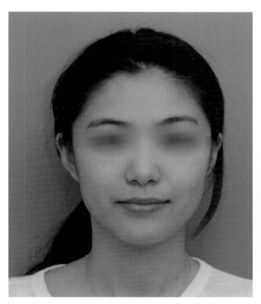 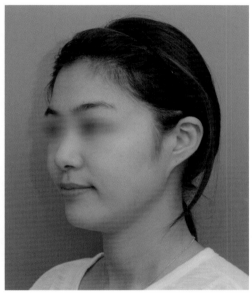

1. 개요

분석	1) 피부의 두께 : 얇은 피부 2) 광대 발달 정도 : 약함 3) 좌우비대칭 여부 : 약함 4) 부드러운 턱라인 5) 과도한 턱밑 지방
시술 계획	1) 하관과 턱선위주의 실리프팅 2) 턱밑 지방감소를 위한 실리프팅
사용된 실 종류 및 개수	1) 17(9) cm 1-0 bi-directional cog (cutting) 18G(C) X 10 2) 4 cm 6-0 mono 30G(N) X 50
병합시술 여부	없음
주의사항	1) 리프팅을 너무 강하게 하지 않도록 한다. 2) 지방을 줄이고자 하는 부위에서 모노실의 삽입은 지방층을 목표로 한다.
시술 결과	선명해진 턱선, 턱밑 지방 감소

2. 시술 디자인

광대가 발달 하지는 않았지만 턱선 교정을 목표로 하기 때문에 광대 바깥쪽과 밑에서 시술하며 턱밑을 교정해야 하므로 귀 뒤쪽에서 턱선 아래쪽으로 실을 삽입한다.

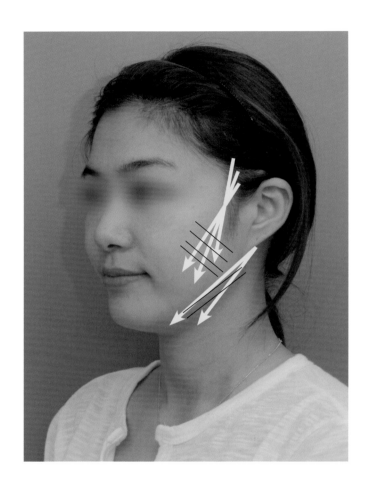

3. 전후 사진

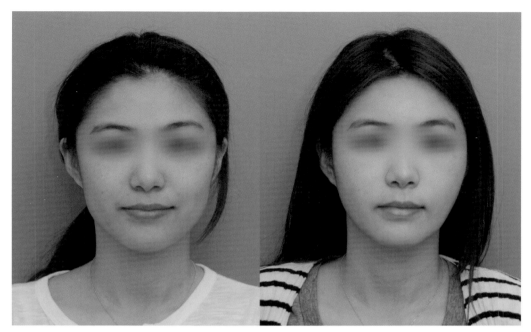

시술 전 정면 시술 후 정면

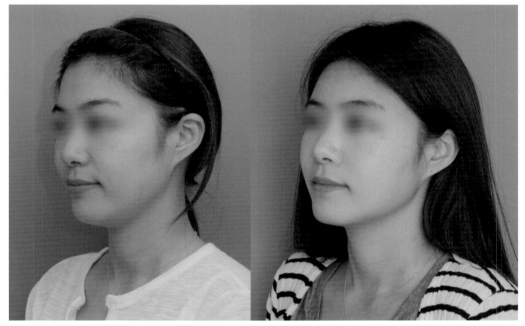

시술 전 측면 시술 후 측면

증례 02 부드러운 턱선, 통통한 볼살

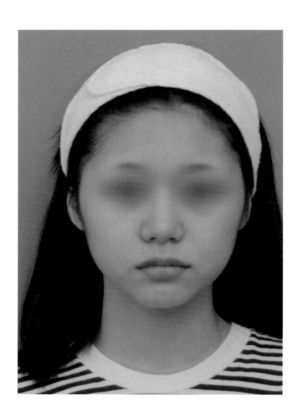

1. 개요

분석	1) 피부의 두께 : 보통 2) 광대 발달 정도 : 작음 3) 좌우비대칭 여부 : 있음 4) 좌우 저작근 근육 발달 5) 턱선과 볼의 지방과다
시술 계획	1) 리프팅 보다는 턱선 개선 2) 통통한 볼살과 턱선의 지방감소
사용된 실 종류	1) 17(9) cm 1–0 bi–directional cog (molding) 18G(C) X 10 2) 4 cm 6–0 mono 30G(N) X 50
병합시술 여부	사각턱 botox
주의사항	1) 리프팅보다는 턱선 개선이 목적이므로 과하게 리프팅 하지 않도록 한다. 2) 턱선과 심술보 주변으로 모노실을 삽입할 때 멍이 들지 않도록 주의한다.
시술 결과	1) 시술 후 3개월 추적 관찰 사진 2) 갸름해진 턱선 볼 턱살 감소

2. 시술디자인

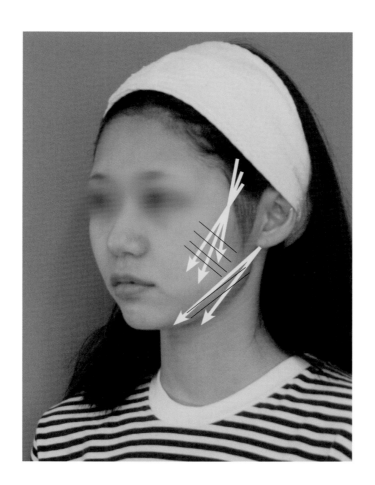

3. 전후 사진

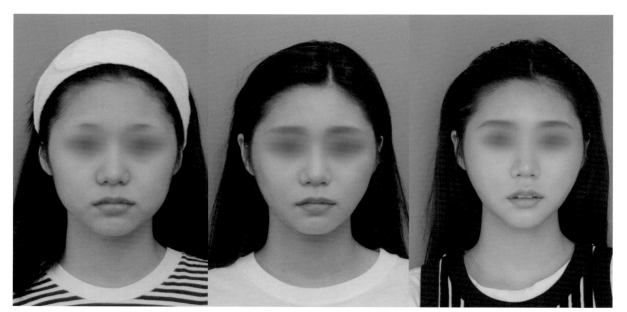

시술 전   시술 직후   시술 2개월 후

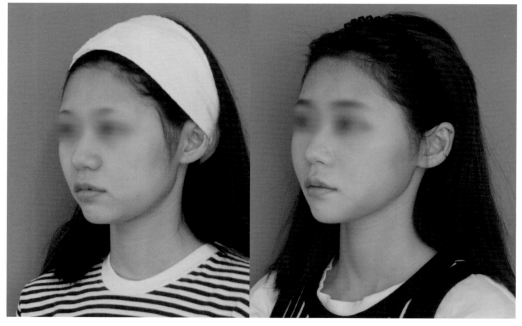

시술 전   시술 2개월 후

증례 03 밋밋한 앞볼과 처진 입꼬리

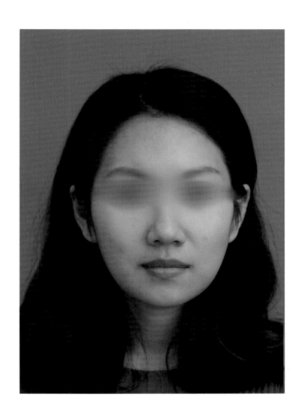

1. 개요

분석	1) 피부의 두께 : 보통 2) 광대 발달 정도 : 작음 3) 좌우비대칭 여부 : 없음 4) 밋밋한 앞볼 5) 처진 입꼬리
시술 계획	1) 앞볼 볼륨 리프팅 2) 입꼬리 리프팅 시술
사용된 실 종류	1) 9(6) cm 2-0 bi-directional cog (molding) 21G(C) X 8 2) 4 cm 6-0 mono 30G(N) X 30
병합시술 여부	없음
주의사항	1) 볼륨을 만들 앞볼의 위치를 정확하게 표시한 후 시술한다. 2) 심술보를 중심으로 약간 방사형으로 모으듯이 시술한다. 3) 과하게 리프팅하는 경우 상대적으로 조직이 연한 눈밑에 피부꺼짐현상이 생길 수 있으므로 저연스럽게 리프팅한 후 마사지로 풀어준다.
시술 결과	앞볼 볼륨 개선, 입꼬리 리프팅

2. 시술디자인

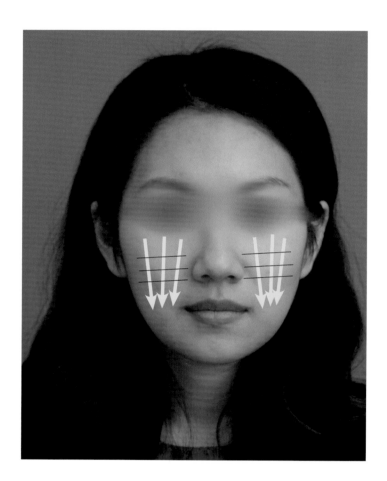

3. 전후 사진

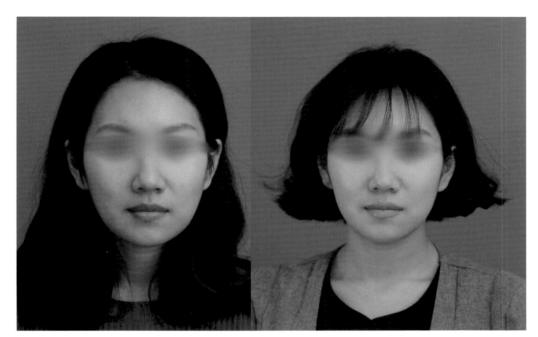

| 시술 전 | 시술 2개월 후 |

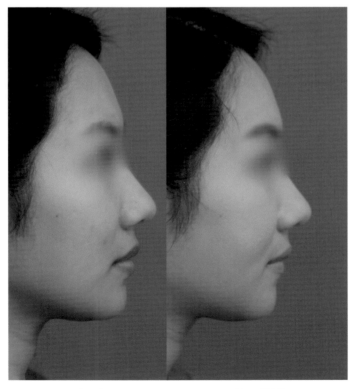

| 시술 전 | 시술 2개월 후 |

증례 04 · 나이에 비해 깊은 목주름, 처진 턱밑 지방

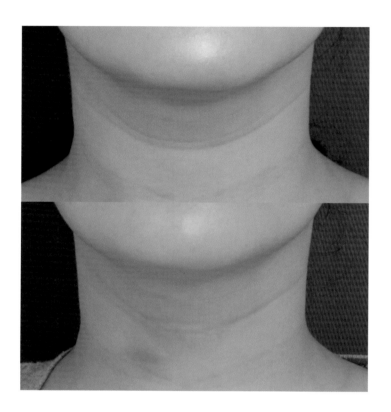

1. 개요

분석	1) 피부의 두께 : 얇음 2) 광대 발달 정도 : 해당사항 아님 3) 좌우비대칭 여부 : 해당사항 아님 4) 깊은 목주름, 상대적으로 턱밑 지방은 심하지 않다.
시술 계획	1) 턱밑 지방 감소 2) 목 주름 개선

사용된 실 종류	1) 턱밑지방
	   9(6) cm 2–0 bi–directional cog (molding) 21G(C) X 10
	   4 cm 6–0 mono 30G(N) X 40
	2) 목주름
	   2.5 cm 6–0 mono 21G(N) X 40

병합시술 여부	HA 필러
주의사항	1) 목의 각도가 급격하므로 긴 실을 사용하지 말고 시술 시 일정한 깊이에 실이 삽입되도록 한다. 2) 턱밑 지방시술 후 진피보다는 피하지방층에 실을 삽입한다. 3) 실리프팅 시술 후 필러시술을 하도록 한다.
시술 결과	1) 목주름개선 2) 턱밑 지방 감소

2. 시술디자인

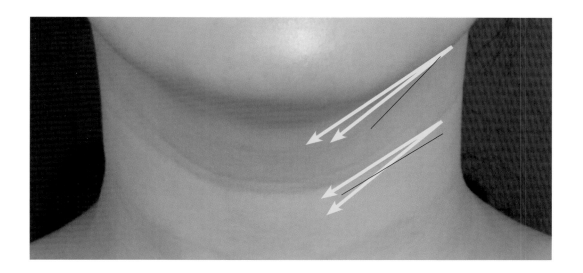

3. 전후 사진

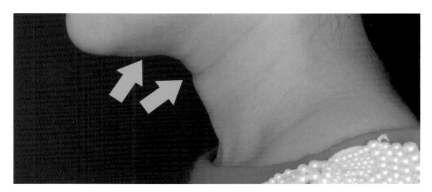

시술 전

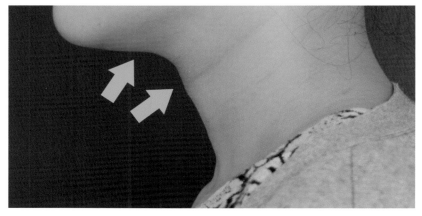

시술 2개월 후

증례 05 밋밋한 앞볼, 처진 볼살, 심술보, 둔탁한 턱선

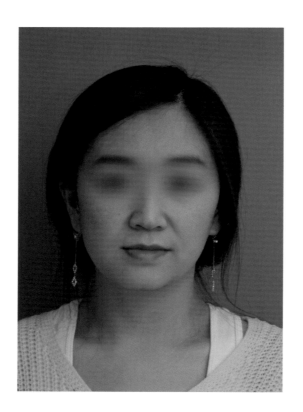

1. 개요

분석	1) 피부의 두께: 보통 2) 광대 발달 정도: 보통 3) 좌우비대칭 여부: 있음 4) 밋밋한 앞볼 5) 처진 입꼬리
시술 계획	1) 앞볼 볼륨 개선 2) 입꼬리, 심술보 개선
사용된 실 종류	1) 9(6) cm 3–0 multi–directional cog (cutting) 21G(C) X 8 2) 4 cm 6–0 mono 30G(N) X 30
병합시술 여부	없음
주의사항	수직리프팅을 시술할 경우 안와주위에 작은 혈관들이 다수 산재하여 출혈이 생겨 멍이 드는 경우가 많으니 주의해서 시술한다.
시술 결과	1) 시술 3주 후 사진 　턱선과 입가주름이 개선 2) 시술 직후 오른쪽 볼에 멍이 든 것을 확인할 수 있다. 완전히 사라지는데 약 3주의 시간이 걸렸다.

2. 시술디자인

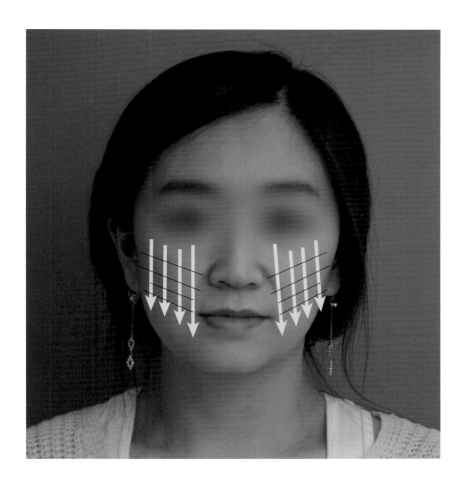

3. 전후 사진

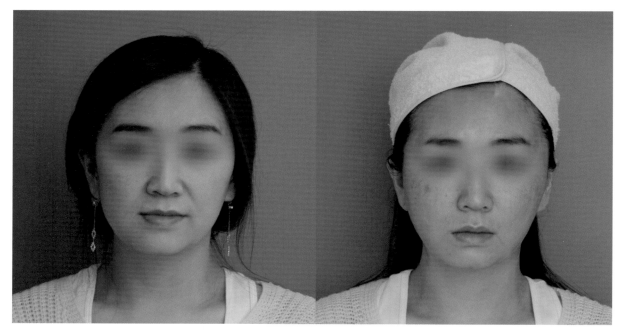

시술 전   시술 직후

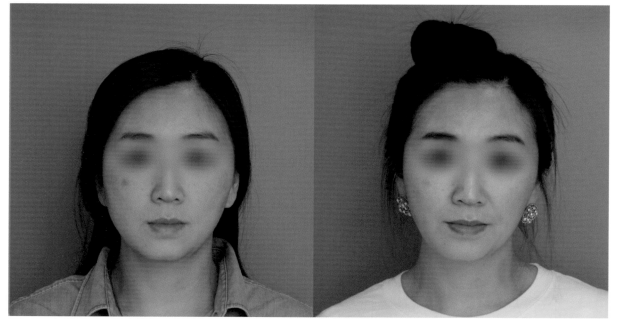

시술 1주 후   시술 3주 후

증례 06 처진 눈썹, 이마 잔주름

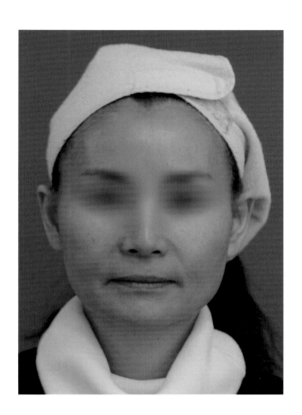

1. 개요

분석	1) 피부의 두께 : 보통 2) 광대 발달 정도 : 관계없음 3) 좌우비대칭 여부 : 없음 4) 다소 처진 눈썹 5) 탄력이 떨어진 이마 피부 : 이마 잔주름
시술 계획	1) 이마 잔주름 개선 2) 이마 거상
사용된 실 종류	1) 9(6) cm 2-0 bi-directional cog (molding) 21G(C) X 10 2) 2.5 cm 6-0 mono 30G(N) X 50
병합시술 여부	없음
주의사항	이마 조직은 얼굴의 다른 조직들에 비해 상대적으로 단단한 조직이므로 거상되는 높이가 미미한 경우가 많으므로 무리하기 시술하지 않도록 하고 환자에게 이마거상에 대한 효과의 기대치를 낮추도록 설명한다.
시술 결과	1) 시술 2개월 후 사진 2) 2 mm 정도 눈썹이 거상된 사진

2. 시술디자인

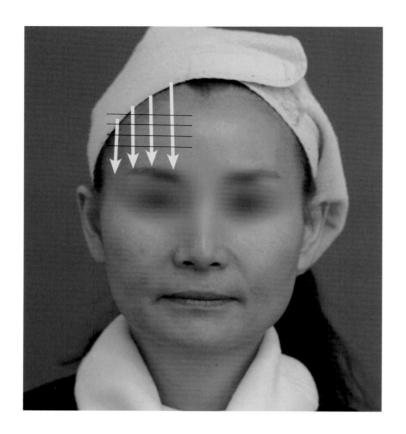

3. 전후 사진

시술 전   시술 후

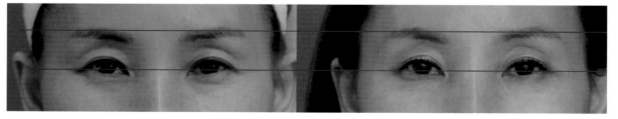

시술 전   시술 후

증례 07 이마, 미간의 굵고 깊은 주름

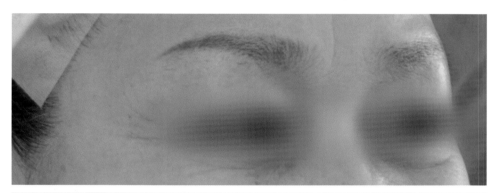

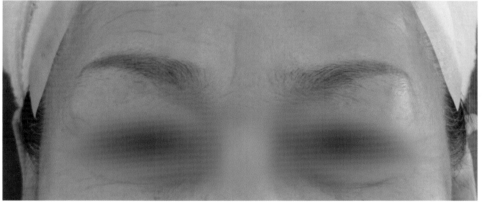

1. 개요

분석	1) 피부의 두께: 두꺼움 2) 광대 발달 정도: 관계없음 3) 좌우비대칭 여부: 없음 4) 이마, 미간의 깊은 주름 　정지된 상태에서도 선명한 주름 　필러와 보톡스로는 개선되기 힘들다.
시술 계획	이마, 미간의 깊은 주름 밑을 실을 삽입하고 주름을 위로 밀어 올린다.
사용된 실 종류	1) 6(3) cm 1-0 multi-directional cog (cutting) 21G(C) X 20 2) 2.5 cm 6-0 mono 30G(N) X 30
병합시술 여부	이마, 미간 보톡스
주의사항	1) 이마와 미간의 깊은 주름은 필러로 잘 개선되지 않는다. 특히 미간은 혈관폐색 등의 위험으로 필러시술을 적극적으로 하기 힘든 부위이다. 2) 이런 경우 실은 좋은 선택이 될 수 있다. 3) 삽입 시 너무 얕게 삽입하지 않도록 한다. 4) 주름 하나당 2-3개 정도의 실은 삽입하는 것이 적당하다. 5) 주름 시술후 주름자체가 없어지는 것은 아니지만 필러에 비해 확실히 개선될수 있다.
시술 결과	시술 1개월 후 사진

2. 시술디자인

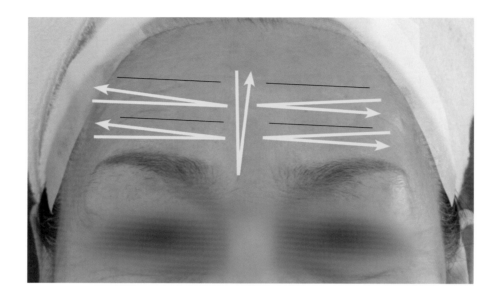

3. 전후 사진

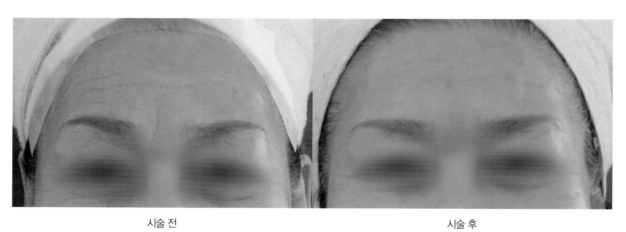

시술 전   시술 후

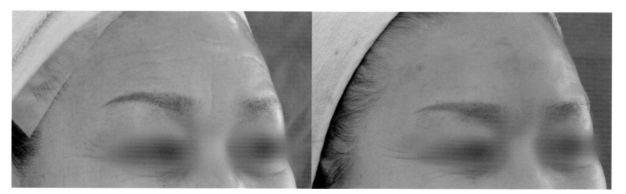

시술 1개월 후   시술 1개월 후

증례 08 처진 볼살, 깊은 팔자주름, 입가주름

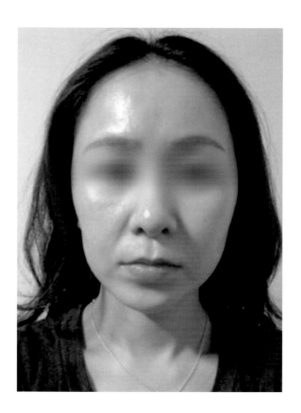

1. 개요

분석	1) 피부의 두께 : 얇음 2) 광대 발달 정도 : 작음 3) 좌우비대칭 여부 : 비대칭 4) 마른 얼굴형 5) 광대가 커지는 것을 원치 않음 6) 시술 직후 다운타임이나 부기 등을 걱정함
시술 계획	1) 광대 밑으로 시술 2) 팔자와 입가 주름 개선 3) 전체적인 피부탄력 개선 4) 붓기 없이 시술 5) 타이(Tie) 테크닉으로 시술
사용된 실 종류	1) 7(7) cm 1–0 uni–directional cog (cutting) 18G(C) X 8 2) 4 cm 6–0 mono 30G(N) X 50
병합시술 여부	없음
주의사항	1) 시술후 결과가 좋을 가능성이 높은 케이스 2) 너무 강하게 당겨서 거상하지 않는다. 3) 타이를 확실히 피부밑으로 집어넣는다.
시술 결과	1) 시술 1달 후 사진 2) 팔자, 입가 주름 개선

2. 시술디자인

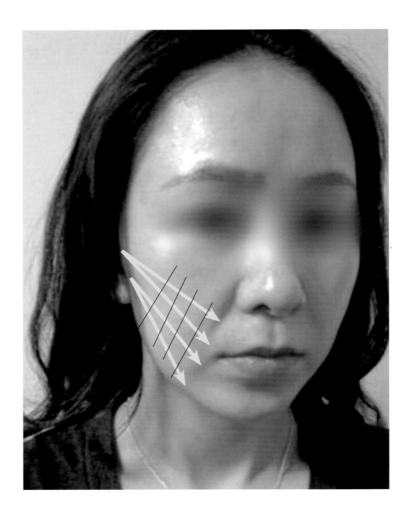

3. 전후 사진

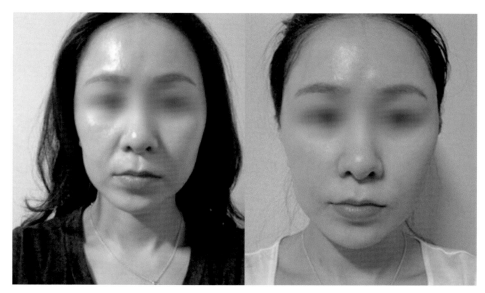

시술 전 정면   시술 후 정면

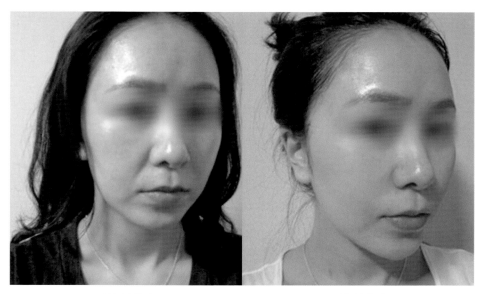

시술 전 측면   시술 후 측면

증례 09 팔자 주름, 마리오넷 주름, 심술보, 광대, 이마, 관자

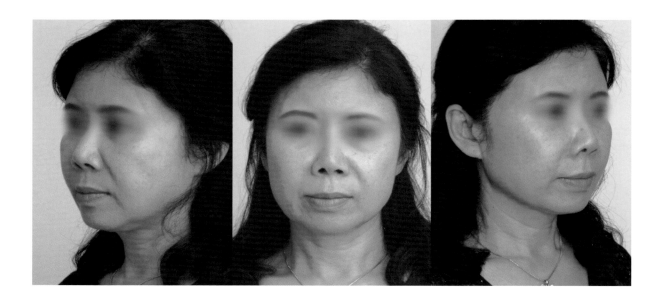

1. 개요

분석	1) 피부의 두께 : 두꺼움 2) 광대 발달 정도 : 큼 3) 좌우비대칭 여부 : 비대칭 4) 대부분의 동양인 여자들의 얼굴형 5) 많은 볼살 6) 도드라진 팔자와 입가주름
시술 계획	1) 지방이식 　이마, 관자, 눈밑 볼륨개선 2) 실리프팅 　광대가 커지지않도록 　수직 리프팅 병행 　실이 많이 사용될수록 전체적인 인장력 조절에 신경쓰고 과하지 않게 고정하는 느낌으로 시술
사용된 실 종류	1) 17(9) cm 1–0 bi–directional cog (molding) 18G(C) X 10 2) 9(6) cm 2–0 bi–directional cog (molding) 21G(C) X 4 3) 4 cm 6–0 mono 30G(N) X 50
병합시술 여부	지방이식 (이마, 관자, 눈밑)
주의사항	1) 얼굴의 균형과 조화를 위해 이마, 관자, 눈밑, 팔자 부위에 지방이식을 병행하였다. 2) 이 환자의 경우 광대가 크고 피부가 다소 단단하므로 리프팅의 효과를 극대화 하기 위해 거상을 강하게 하려는 경향이 생긴다. 　그러면 광대가 부각되어 설사 거상이 되었다고 하더라도 얼굴이 커져 보이는 느낌이 들어 만족감이 떨어지기 쉽다. 3) 전체적인 조화를 통해 개선하도록 노력한다.
시술 결과	1) 시술 2개월 후 사진 2) 전체적으로 부드러워진 얼굴 3) 얼굴이 넓어 보이지 않으면서 처진 얼굴 개선

2. 시술디자인

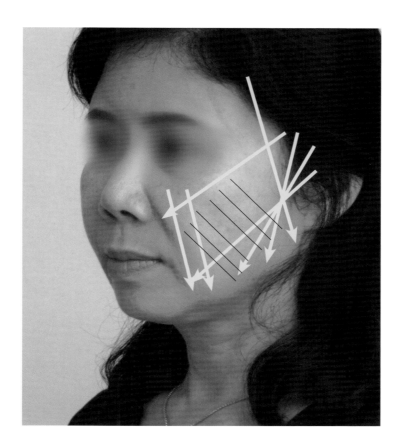

3. 전후 사진

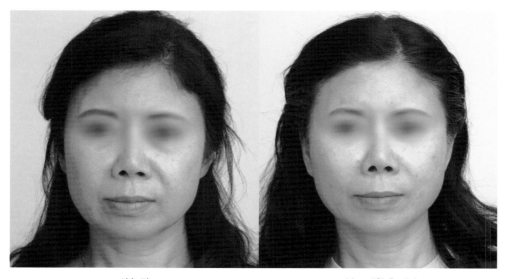

시술 전   시술 2개월 후 정면

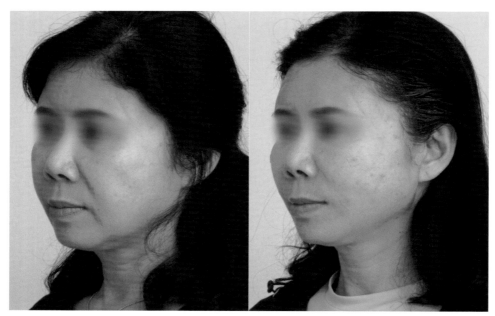

시술 전   시술 2개월 후 측면

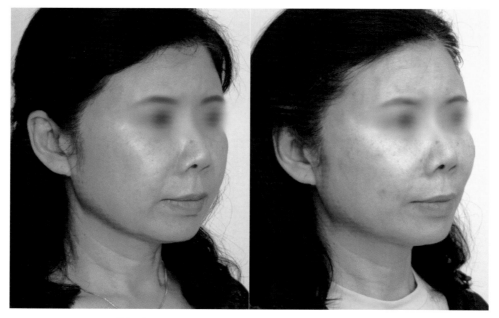

시술 전   시술 2개월 후 측면

증례 10 마리오넷 주름, 심술보, 팔자, 광대, 하안면부 처짐

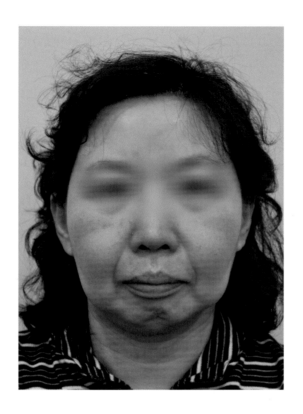

1. 개요

분석	1) 피부의 두께 : 두꺼움
	2) 광대 발달 정도 : 큼
	3) 좌우비대칭 여부 : 비대칭 적은편
	4) 대부분의 동양인 여자들의 얼굴형
	5) 많은 볼살
	6) 도드라진 팔자와 입가주름

시술 계획	1) 안면거상술 대상이 되는 환자였지만 본인이 실리프팅을 원한 경우라 고정형 방법을 사용하여야 하는 경우
	2) 두꺼운 피부 때문에 반듯이 고정형 방법을 사용해야 하는 경우
	3) 특히 광대가 커지지 않도록

사용된 실 종류	45 cm 3-0 uni-directional cog (cutting) 18G(C) with Loop : V-loc thread X 8

병합시술 여부	없음

주의사항	1) 이 환자의 경우 광대가 크고 피부가 두껍고 단단하고 피부의 처짐이 심해서 수술적인 안면거상술이 필요한 환자이다. 그래서 강한 리프팅을 하기 위해서 반듯이 고정형 방법이 필요하다.
	2) 광대가 넓은 편이라 팔자주름을 개선 하기 위해서 고정형 방법을 이용한다면 팔자주름은 어느 정도 해결되지만 오히려 광대가 부각되어 설사 거상이 되었다고 하더라도 얼굴이 커져 보이는 느낌이 들어 만족감이 떨어지기 쉽다.
	3) 그래서 하안면부의 처짐을 개선하는데 주안점을 두고 시술하였다.
	4) 이런 경우에 팔자주름 개선을 위해서는 지방주입이나 필러주입이 도움이 된다.

시술 결과	1) 시술 1개월 후 사진
	2) 하안면부가 전체적으로 거상되어서 젊어지고 부드러워진 얼굴
	3) 수술적인 안면거상술이 필요했던 환자였지만 고정형 방법으로도 얼굴이 넓어보이지 않으면서 처진 얼굴 개선

2. 시술디자인

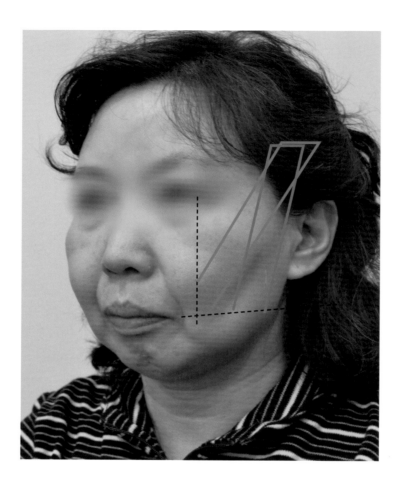

3. 전후 사진

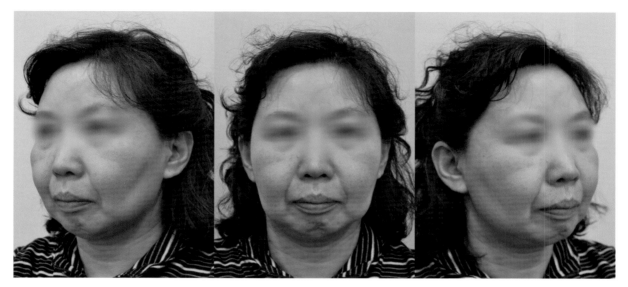

시술 전

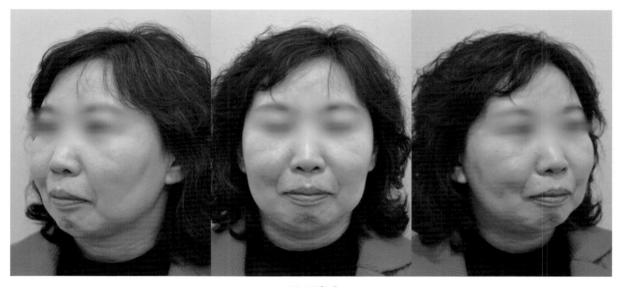

시술 1개월 후

증례 11 심술보, 둔탁한 턱선, 마리오넷 주름, 팔자 주름, 하안면부 처짐

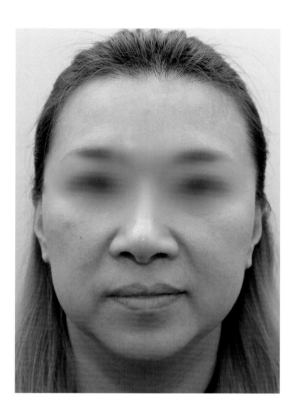

1. 개요

분석	1) 피부의 두께 : 두꺼움 2) 광대 발달 정도 : 중등도 있는 편 3) 좌우비대칭 여부 : 비대칭 있는 편 4) 많은 볼살 5) 도드라진 팔자와 입가주름 6) 두드러진 인디안 주름
시술 계획	1) 피부가 두꺼운 환자라 고정형 방법을 고려해야 하지만 10년 전에 비흡수성 봉합사를 이용한 고정형 방법으로 수술을 받은 후 심한 측두부 통증을 경험해서 고정형 방법을 원하지 않는 환자 2) 그래서 흡수성 봉합사로 비고정형 방법으로 수술 하기로 결정함. 3) 인디안 주름을 개선하기 위해서 짧은 실을 이용한 수직리프팅을 고려함 4) 광대가 크기 않지만 얼굴이 넓어지는 것을 싫어해서 팔자주름 개선을 위해서 필러 주입을 병행하기로 결정함
사용된 실 종류	1) 17(9) cm 1-0 bi-directional cog (molding) 12G(C) X 12 2) 9(6) cm 1-0 bi-directional cog (molding) 18G(C) X 8
병합시술 여부	필러 주입 - 팔자주름 개선, 히알론산 필러, 한쪽당 1 cc 주입
주의사항	1) 두꺼운 피부와 나이에 비해 늘어진 피부 때문에 수술적 안면거상술을 고려해 볼 만 환자라 강한 견인력이 필요한 고정형 방법이 적합하다. 하지만 이전에 받았던 고정형 방법의 단점이 측두부 통증에 대한 두려움 때문에 환자가 고정형 방법을 원하지 않았다. 2) 하지만 최근 몰딩형태의 실들이 비고정형 방법으로 시술했을 때도 좋은 결과를 보여주고 있어서 충분이 비고정형 방법으로도 좋은 결과를 보여준다. 3) 실 리프팅후 개선 효과가 조금 부족함이 예측되는 경우에는 인디안 주름, 필자주름, 마리오넷 라인 부위에는 필러나 지방 주입을 추천한다.
시술 결과	1) 시술 6개월 후 사진 2) 하안면부가 전체적으로 거상되어서 갸름해진 얼굴 3) 수술적인 안면거상술이 필요했던 환자였지만 비고정형 방법으로도 6개월까지도 처진 얼굴의 개선이 유지되고 있다. 4) 위에 서술 했듯이 팔자주름, 인디안주름, 마리오넷 라인에 대한 추가적인 필러나 지방주입이 필요할 것으로 사료된다. 5) 가장 중요한 것은 측두부 통증같은 증상이 없는 상태로 이 정도의 리프팅 효과를 볼 수 있다면 주기적으로 수술을 받을 의향이 있다는 것임.

2. 시술디자인

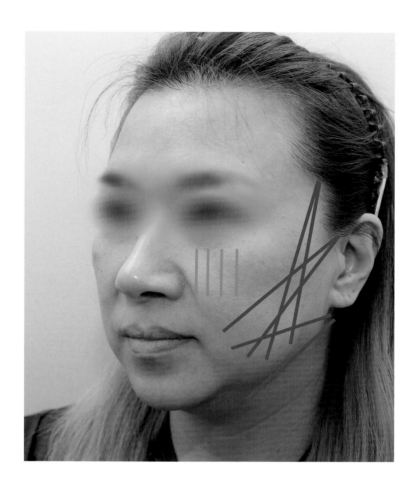

3. 전후 사진

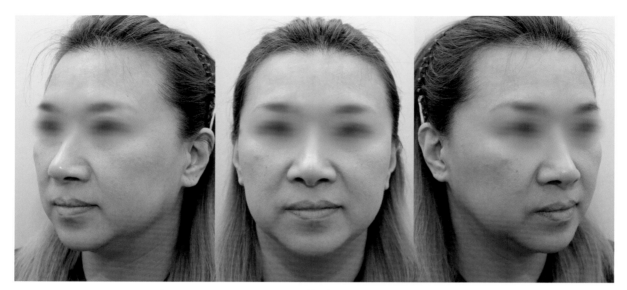

시술 전

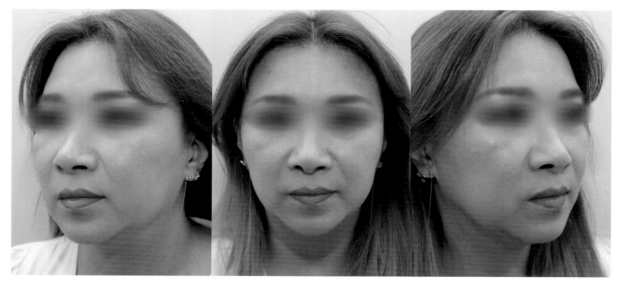

시술 6개월 후

종례 12 **마리오넷 주름, 심술보, 둔탁한 턱선**

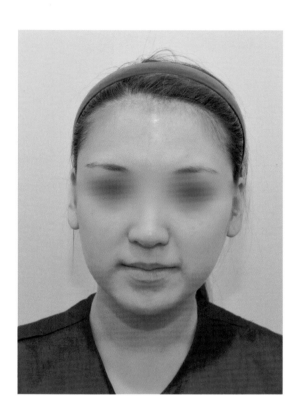

1. 개요

분석	1) 피부의 두께 : 보통 2) 광대 발달 정도 : 중등도 있는 편 3) 좌우비대칭 여부 : 비대칭 있는 편 4) 중등도 처진 볼살
시술 계획	1) 갸름한 턱선을 원해서 피부 견인력이 강한 고정형 방법을 고려함 2) 꺼진 이마를 개선하여 입체감을 주기 위해 지방주입을 고려함
사용된 실 종류	45 cm 3–0 uni–directional cog (cutting) 18G(C) with Loop : V–loc thread X 8
병합시술 여부	지방 주입 – 꺼진 이마 개선
주의사항	1) 광대가 중등도정도 있지만 팔자 주름을 고정형 방법만 해결하게 된다면 광대가 넓어져서 얼굴이 커 보일 수 있다. 2) 그래서 피부의 견인 방향을 수직방법으로 만들어서 처짐을 개선하는데 주안점을 두고 시술하여 한다
시술 결과	1) 시술 1개월 후 사진 2) 하안면부가 수직 방향으로 거상되어서 갸름해진 얼굴선이 되었음. 3) 마리오넷 라인도 개선됨

2. 시술디자인

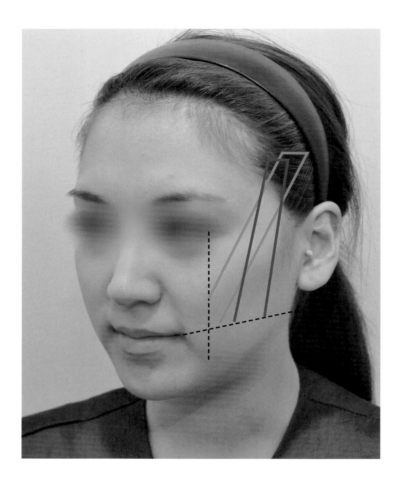

3. 전후 사진

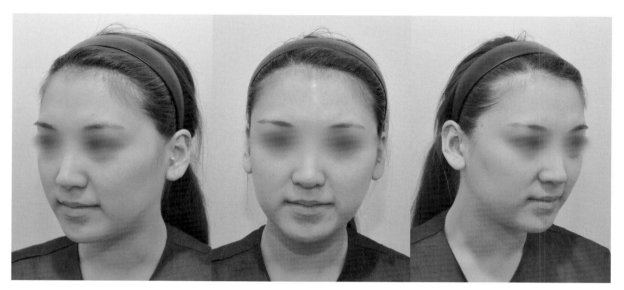

시술 전

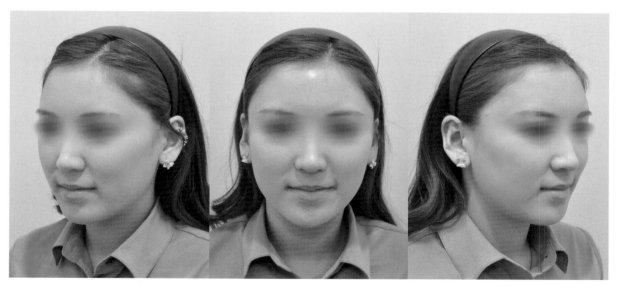

시술 1개월 후

증례 13 **두툼한 턱선**

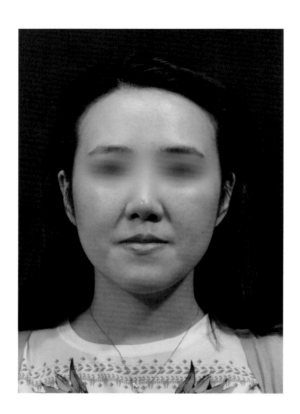

1. 개요

분석	1) 피부의 두께 : 두꺼운 편 2) 광대 발달 정도 : 약함 3) 좌우비대칭 여부 :심하지 않음 4) 비교적 두툼한 턱선 라인
시술 계획	1) V라인을 위한 리프팅 2) 피부를 손으로 당겨보았을 때, 이동이 많이 되는 편은 아니었으므로, 시술 효과를 극대화 하기 위하여 고정형(anchoring) 방식의 실리프팅을 하기로 결정
사용된 실 종류	44(20) cm 1-0 bi-directional cog (molding) 17G(C) X 4 17(10) cm 1-0 multi-directional cog (cutting) 18G(C) X 8
병합시술 여부	없음
주의사항	1) 입꼬리에 가장 가까운 쪽 부위를 강하게 당기면 딤플이 발생할 가능성이 높아지므로, 이 부위는 보수적으로 접근하는 것이 좋다. 2) 과도한 피부꺼짐을 막기 위해서는 bidirectional 실이 들어간 바로 옆으로 multidirectional cog를 집어넣어 과도한 수축을 막는 것이 도움이 된다.
시술 결과	날렵해진 턱선

2. 시술디자인

1) 턱선 부위를 강하게 리프팅 하기 위해, 측두 근막 부위의 두피에 2개의 점을 표시한 후, 그림과 같은 형태로 실을 집어 넣는다.

2) 실이 들어갈 입구 부위는 눈썹 상방 1.5 cm 정도 높이의 두피라인에 오른쪽/왼쪽 각각 2개씩 표시한다.

3) 눈의 측면 안각(lateral canthus)에서 직하방으로 선을 긋고, 입꼬리 끝에서 턱뼈발달(mandible angle)쪽으로 선을 긋는다. 이 두선이 만나는 곳과 수평선위치에 1 cm 간격으로 점을 표시하여 이쪽으로 실이 빠져 나오도록 한다(얼굴 한쪽당 총 4개의 점).

4) 과도한 수축에 의한 피부꺼짐을 예방하기 위해, 두피에서 턱선으로 연결된 선 바로 옆쪽으로 multi-directional cog 실을 집어넣는다.

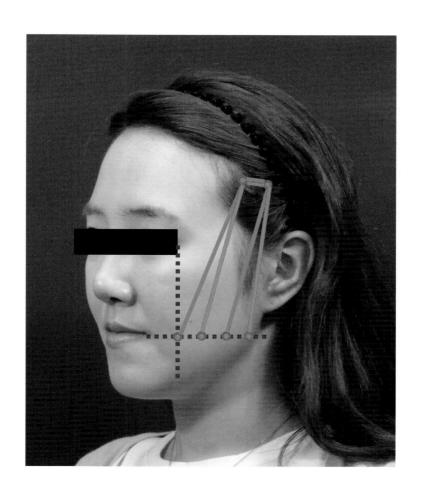

3. 전후 사진

1) 시술 3일 후

턱선이 가름해진 효과가 나타나고 있으나, 광대부위에 붓기가 남아 있다.

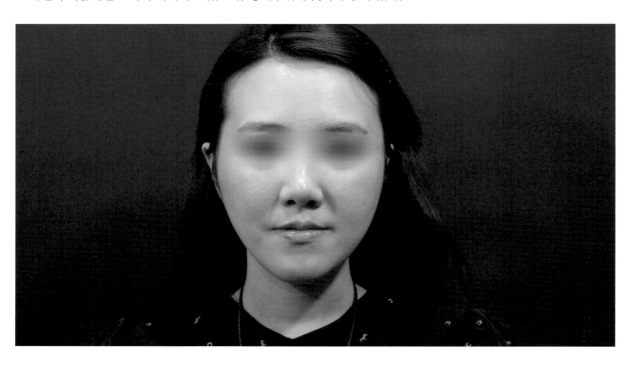

2) 시술 2주 후

광대의 붓기가 빠지며 자연스러워졌다.

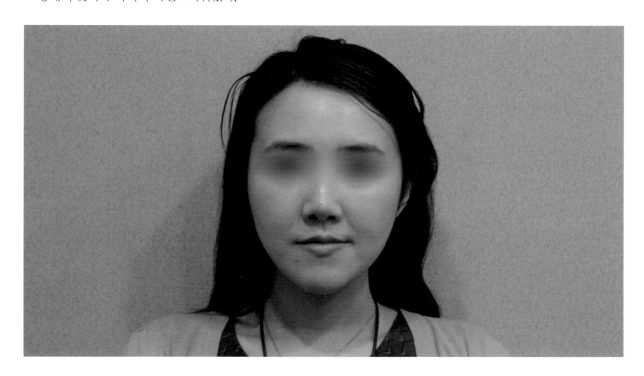

팔자 주름, 마리오넷 주름

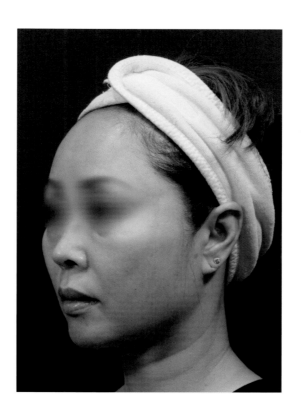

1. 개요

분석	1) 피부두께 – 얇은 편 2) 광대 – 약간 발달
시술 계획	강력한 효과를 기대하셨기 때문에 고정형(anchoring) 방식의 실리프팅을 하기로 결정
사용된 실 종류	44(20) cm 1–0 bi–directional cog (molding) 17G(C) X 4 17(10) cm 1–0 multi–directional cog (cutting) 18G(C) X 8
병합시술 여부	없음
주의사항	피부가 얇고 볼살이 없으신 분들은 강하게 리프팅을 하면 볼살부위가 꺼져 보이는 경우가 있으니 적정한 강도로 리프팅을 하는 것이 중요하며, 필요 시 상담 전 미리 지방이식 또는 필러등의 볼륨 교정시술을 병행하는 것을 안내하여야 한다
시술 결과	1. 시술 1개월 후 팔자주름, 마리오넷 주름이 많이 개선된 것을 알 수 있다. 2. 턱선라인 특히 턱뼈 발달(mandible angle) 부위가 날렵해진 것을 확인할 수 있다

2. 시술디자인

1) 실이 들어갈 입구 부위는 눈썹 상방 1.5 cm 정도 높이의 두피라인에 오른쪽/왼쪽 각각 2개씩 표시한다.

2) 눈의 측면 안각(lateral canthus)에서 직하방으로 선을 긋고, 입꼬리 끝에서 턱뼈발달(mandible angle)쪽으로 선을 긋는다. 이 두선이 만나는 곳과 수평선위치에 1 cm 간격으로 점을 표시하여 이쪽으로 실이 빠져 나오도록 한다(얼굴 한쪽당 총 4개의 점).

3) 과도한 수축에 의한 피부꺼짐을 예방하기 위해, 두피에서 턱선으로 연결된 선 바로 옆쪽으로 multi-directional cog 실을 집어넣는다.

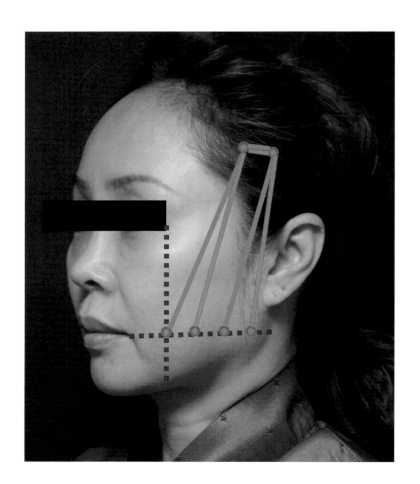

3. 전후 사진

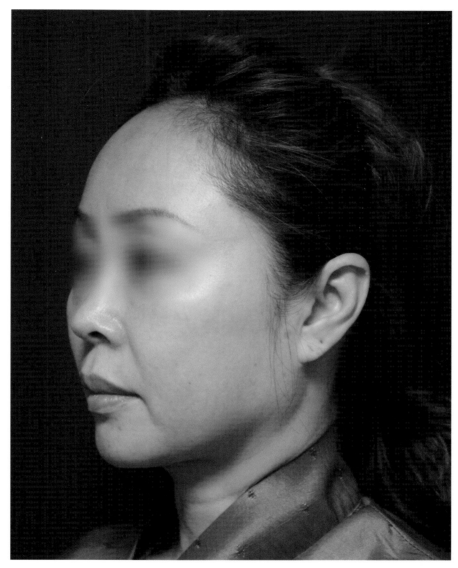

시술 1개월 후

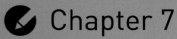

Textbook of
Absorbable
Thread
Lifting

Chapter 7

시술 후 관리

SECTION 1

시술 직후

1) 수술 후 붓기를 최소화하기 위해서 처음 3일 동안 볼 부위에 냉찜질 주머니를 대줘야 하며, 수면 시 베개를 이용하여 상체를 높게 한다.

2) 시술 한 당일은 저녁에 세안하지 말고 병원에서 준 연고를 바른 뒤 그냥 주무시고 다음날 아침에 세안하도록 권한다.

3) 수술직후 피부 꺼짐이 있으면 반드시 마사지를 해서 풀어 주어야 한다. 4주 이상 지나면 섬유화가 되어서 피부 꺼짐이 계속 될 수 있다. 그래서 그 기간 내에 경과를 보면서 피부 꺼짐을 해결해 주어야 한다.

4) 멍은 잘 들지 않으나 간혹 멍이 드는 경우가 있고 이 경우에는 1-2주 정도 경과되면서 자연적으로 사라진다. 멍 크림이 도움이 되기도 한다.

5) 시술직후 눈이 감기지 않거나 입꼬리가 올라가고 내려가는 경우가 있는데 이러한 현상은 마취에 의한 것으로 하루정도 시간이 경과되면 호전되므로 환자에게 시술전에 미리 주지하고 발생하더라고 안심시켜주는 것이 좋다. 하지만 증상이 생기는 경우 반드시 직접 확인하는 것이 좋다.

SECTION 2

처방사례

일반적인 리프트를 하는 경우에도 항생제 처방을 하는 것을 권한다. 보통 3일치 정도의 처방전을 발행한다. 항생제, 소염진통제, 소화제를 처방하는 예를 들어본다(표 7-1).

표 7-1. 처방 예시

세크로신 캡슐®	tid
아펜틱®	tid
뉴비스®	tid

고정형 방법으로 수술을 하는 경우에 측두부 통증이 있어서 추가적으로 진통제, 제산제, 수면제 등을 7일치를 처방한다(표 7-2).

표 7-2. 고정형 실리프팅 시술 후 처방예시

세크로신 캡슐®	tid
라딘정®	75 mg bid
클란자정®	bid
타이레놀 ER®	tid
소론도®	5 mg bid
자낙스®	0.25 mg gdhs

SECTION 3

홈케어

1) 가급적 안정을 취하는 것이 좋고 운동이나 무리한 움직임은 피한다.

2) 식사는 부드러운 유동식을 권하고 일반식을 하는 원하는 경우라면 질긴 음식은 피한다.

3) 수술 후 붓기를 최소화하기 위해서 처음 3일 동안 볼 부위에 냉찜질 주머니를 대어줘야 하며 붓기를 예방하기 위해 수면 시 베개를 이용하여 상체를 높게 해준다.

4) 시술 한 당일은 저녁에 세안하지 말고 병원에서 준 연고를 바른 뒤 그냥 주무시고 다음날 아침에 세안하도록 권한다.

SECTION 4

주의사항

1) 특히 하품이나 입을 크게 벌리는 행동은 주의해야 하고 딱딱한 음식이나 질긴 고기는 4주 정도는 피하는 것이 좋다.

2) 시술 부위를 만지거나 비비지 말라고 권한다.

3) 수술 후 3-4일이 지나면 가벼운 운동을 할 수 있으며 마사지, 조깅 및 헬스 같은 심한 운동은 3-4주 정도 지나서 하는 것을 권한다.

4) 펌, 염색 등 머리에 약품을 사용하는 것은 한달 후 가능하다.

5) 사우나, 찜질방 등 너무 더운 환경과 음주, 과격한 운동은 1주일 정도 피하는 것이 좋다. 더운 곳에 노출되면 붓기가 심해질 수 있기 때문이다.

6) 시술 자리의 바늘 자국은 보통 2-3일이면 사라진다.

7) 시술 후 당일 얼굴 붓기가 생기지만 큰 붓기는 2-3일 내로 사라진다. 두피 부위에 고정을 한 경우에는 광대뼈 위쪽에서 관자놀이 부위로 붓기가 발생할 수 있으며 보통 1주일 정도면 사라지게 된다.

8) 대부분 오돌토돌한 돌기가 있는 실을 사용하는 경우에는 실을 넣은 곳 뒤쪽을 만지거나 그 부위가 자극이 되면 따끔한 통증이 있을 수 있고 보통 1-2주 내에 소실된다.

9) 드물게 시술 2주에서 1달 정도쯤 후에 실을 넣은 끝 쪽 부위의 피부 꺼짐 현상이 생기기도 한다. 반드시 내원해서 마사지로 피부 꺼짐을 해결해야 한다.

10) 1달이 지난 후에도 표정 근육의 움직임이 많은 경우에는 피부 꺼짐이 생기는 경우가 발생할 수 있다. 과도하게 얼굴 피부에 움직임에 의해서 피부가 실 끝 쪽에 걸리는 경우로 마사지로 해결할 수 있다.

11) 1달 이후에도 음식을 씹거나 크게 웃거나 할 때 실 리프팅 부위에서 투둑하는 소리가 날 수도 있다. 그 정도로 리프팅 효과가 감소 하지 않으므로 걱정하는 환자가 있을경우 충분히 안심시킨다.

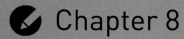

Textbook of
Absorbable
Thread
Lifting

Chapter 8

부작용 및 예방과 치료

실 리프팅 이후 생기는 부작용은 다양하지만 비교적 심각한 부작용은 없는 편이다. 이러한 부작용들은 대부분이 일시적이고 시간이 지나면 해결되는 경우가 대부분이라 큰 걱정 없이 실 리프팅 수술을 할 수 있다. 저자들은 임상에서 가장 많이 볼 수 있는 순서대로 부작용을 나열해 보았고 그 예방 방법과 치료에 대해 정리해 보았다.

SECTION 1

안면 비대칭(Facial asymmetry)

시술 직후에 안면 비대칭이 생기는 경우가 흔하다. 한쪽 심하게 견인된 비대칭의 경우는 수술 후 바로 마사지를 통해서 교정해주어야 한다. 하지만 주로 붓기의 차이에 의한 경우가 대부분이라 1-2주정도 지속될 수 있지만 시간이 지나면서 해결된다.

하지만 3-4주 이후에도 비대칭이 있다면 교정을 해주어야 한다. 그리고 대부분의 사람은 얼굴의 양쪽이 약간 다르지만, 일단 시술을 받고 나서 비대칭이 발생하면, 시술 때문에 비대칭이 되었다고 믿게 되는 경향이 있다. 따라서, 시술 전 임상 사진 등의 기록을 남겨 놓고, 비대칭에 대해 미리 설명을 하는 것이 중요하다.

SECTION 2

멍 및 혈종(Ecchymosis & hematoma)

실 리프팅을 할 때에는 바늘을 사용하게 되는 경우가 빈번하므로, 100% 멍 없는 시술을 하는 것은 힘들다. 하지만 심한 멍은 긴 회복시간이 필요하게 되고, 이는 시술자나 환자에게 모두 부담으로 다가온다. 그래서 최대한 멍이 들지 않도록 시술을 하는 것이 중요하다.

특히 관자부위에 멍이 생기면 눈 주위나, 아래쪽으로 멍이 내려올 수 있다는 것을 염두하여야 한다.

바늘 대신 캐뉼라를 사용하거나, 에피네프린 등의 혈관 수축제를 함유한 주사로 마취한 후 시술하면 멍이 들 가능성을 훨씬 더 줄일 수 있다. 이 경우 마취 주사 이후 최소 5분 이상 기다렸다가 시술을 하는 것이 좋다.

혈종이 생기는 경우는 드물지만 예방을 위해서 시술 시 출혈이 있으면 시술을 멈추고 출혈부위를 5분 정도 압박하게 출혈이 멈춘 것을 확인한 후 시술을 진행해주는 것이 좋다. 혈종이 심하게 생긴 경우에는 제거하는 수술이 필요하지만 대부분은 항생제를 복용하면 염증 없이 해결될 수 있다.

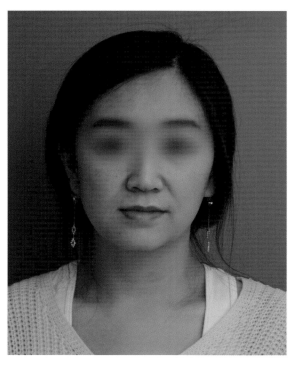

그림 8-1. 시술 전

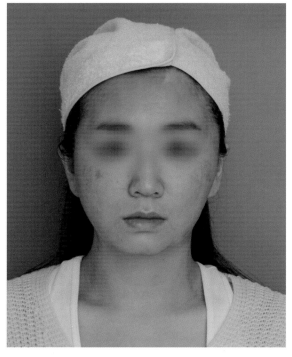

그림 8-2. 시술 직후 눈밑에 멍이 든 사진

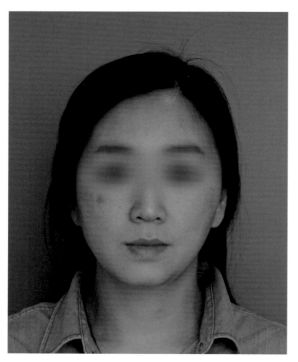

그림 8-3. 부기는 사라졌지만 시술 1주차까지 멍이 관찰되는 사진

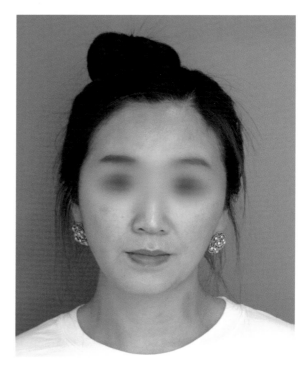

그림 8-4. 시술 3주후 멍이 사라진 사진

SECTION 3

통증(Pain)

실 리프팅 후 특히, 표정을 짓거나 말하거나 밥을 먹는 등 안면을 움직이는 경우 이물감을 느끼는 경우가 간혹 있다. 특히, 돌기가 있는 실의 경우 돌기가 없는 실에 비해 주위 조직에 더 많은 자극을 주기 때문에 상대적으로 통증을 느끼는 경우가 있다. 약간의 이물감을 호소하는 정도에서, 잠을 자기 어려울 정도로 아프다고 하는 정도까지 다양하게 표현을 한다. 일반적으로 통증의 정도는 가는 실 보다는 굵은 실에서, 돌기가 없는 실보다는 돌기가 많고 강한 실에서 심하다고 표현을 하며, 시술 방법상 특히 심부근막에 깊숙이 고정 시킨 경우 심하다고 표현을 한다.

특히 표정을 짓는 근육의 움직임이나 음식을 씹을 때 저작근이 움직이는 경우 등 자극을 받는 경우 통증이 심해지므로, 과도한 표정을 짓거나, 딱딱하거나 질긴 음식을 섭취하는 것은 조심하도록 하며, 수면 시 실을 넣은 쪽이 눌리면 통증이 심해지므로 최소 1주일 정도 똑바로 누워서 수면하는 것을 권한다.

통증은 빠르면 1-2일 만에 없어지기도 하지만, 보통 2주정도 불편함을 호소하며, 경우에 따라서는 수개월간 가끔씩 통증을 느끼는 경우가 있다. 하지만, 녹는 실을 이용한 리프팅을 한 경우에는 실이 녹아서 흡수되므로 대부분 자연적으로 없어지게 된다. 2주 이내에는 두통과 같은 느낌을 호소하는 경우도 있고, 갑자기 부으면서 아픈 경우에는 혈종이나, 염증 가능성도 염두에 두어야 한다.

SECTION 4

실이 만져짐(Palpable thread)

굵은 실을 사용하는 경우, 삽입된 실이 표면에 위치한 경우, 피부가 얇은 경우에, 피부를 만져보면 실이 만져지는 경우가 있다. 녹는 실을 사용한 경우 시간이 지나면 대부분 자연스럽게 해결되는 경우도 있지만, 불편함이 크거나 흉터를 남길 가능성이 있어 보이는 경우에는 과감하게 실을 제거하는 것이 좋다. 특히 피부가 얇은 경우에는 가급적 깊게, 가는 실을 써서 시술하는 것이 중요하다.

실이 끝 부위가 만져지는 경우에는 1.5–2 mm 정도 절개를 한 후 실이 만져지는 실 끝의 피부를 누르면 실이 쉽게 나오게 되고 안 나오는 경우에는 끝이 얇은 작은 지혈집게(mosquito forceps)로 쉽게 찾아서 제거할 수 있다. 그리고 실의 중간부위가 만져지는 경우에는 1.5–2 mm 정도의 절개를 해서 작은 포셉(forcep)이나 작은 훅(skin hook)으로 실의 중간부위를 걸어 당겨서 빼내어 제거한다.

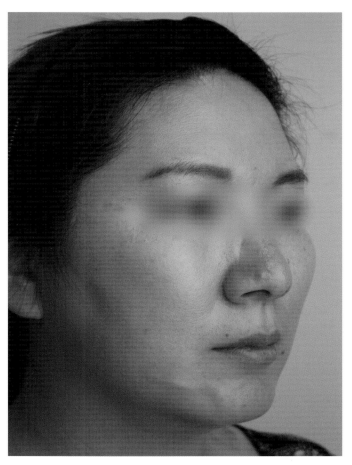

그림 8-5. 입가 쪽에 실이 만져지거나 보이는 경우

SECTION 5

피부 꺼짐 (Dimple)

피부 꺼짐은 당겨지는 아래쪽 피부가 마치 보조개처럼 패어 보이는 현상을 의미한다(그림 8-6). 피부꺼짐은 시술 직후 리프팅 효과를 강하게 하기 위해 일부러 남겨놓는 경우도 있고, 시술 후 1-2주 후에 늦게 발생하는 경우도 있다. 심한 피부 꺼짐이 발생하면 가급적이면 적극적으로 빨리 해결을 해주는 것이 좋고, 1달 이상 지나면 유착이 생겨 해결이 어려울 수 있으므로, 시술 후 1달 이내에 해결을 해주는 것이 좋다. 시술 후 3-4주 이내에는 실 돌기의 반대 방향으로 강하게 마사지 하면 대부분 소실된다. 시술 시 통증이 있으므로, 국소 마취주사를 놓고 시술하는 것이 좋다.

만일 마사지로 해결되지 않으면 실을 제거하는 것이 좋다. 환자가 피부 꺼짐을 못 느끼는 경우도 있어서 4주 이내에 반드시 경과를 관찰하는 것이 좋다.

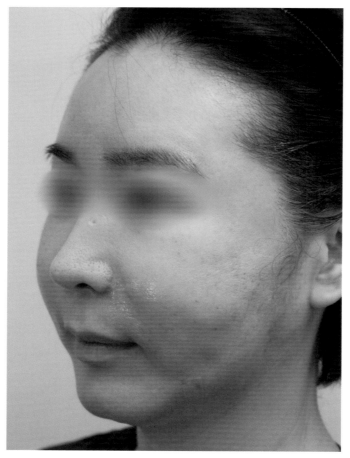

그림 8-6. 시술 후 피부 꺼짐 현상

SECTION 6

인디언 밴드의 악화 (Worsening of Indian folds)

인디언밴드가 강하게 형성 되어있는 경우, 실 리프팅 후 인디언밴드 부위가 더 심하게 나빠질 수 있다. 시술 전 인디언 밴드의 정도를 체크하여 시술하는 것이 중요하다(그림 8-7).

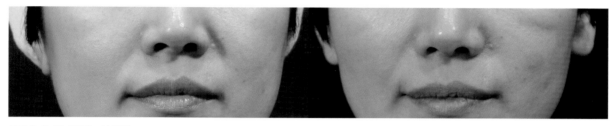

그림 8-7. 인디언 밴드의 악화

SECTION 7

실의 이동 및 돌출 (Migration/Protrusion)

코그실을 사용하는 경우 아래쪽 부위나 위쪽부위로 실이 이동하면서 뾰루지처럼 볼록하게 나오는 경우가 있다(그림 8-8, 8-9). 실의 고정점이 약한 경우 반대쪽으로 이동하려는 힘을 견디지 못할 때 이러한 현상이 발생한다. 양방향 돌기실을 사용하는 경우라면 실의 돌기가 손상되지 않도록 하는 것이 중요하고, 가급적 실의 양쪽 돌기의 길이가 비슷하도록 실을 삽입하여야 한다. 실의 끝 부분이 뾰루지처럼 튀어나온 상태라면 18G 바늘로 피부를 뚫고, 마이크로 포셉 등의 기구를 이용하여 실을 잡아 뽑아내는 것이 좋다. 실을 뽑아야 하는 상황이 발생하면 부분적으로 자르지 말고, 완전히 제거를 해내야 한다. 피부를 뚫고 나온 경우라면 나온 실을 당겨서 제거 하면 된다. 실이 돌출되는 부위는 원래 실의 방향과 상관없는 부위도 많다는 사실을 고려해야 한다.

그림 8-8. 시술 후 실 돌출 A

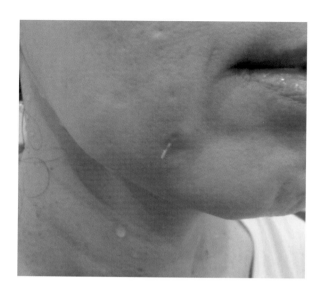

그림 8-9. 시술 후 실 돌출 B

SECTION 8

염증 (Infection)

염증이 생기는 가장 흔한 원인은 머리카락이 함께 피부 속으로 들어가는 경우이다. 따라서 머리카락이 피부 속에 들어가지 않도록 하는 것이 가장 중요하며, 시술 전 소독을 철저히 한다면 리프팅 후 염증이 생기는 현상이 드물게 발생한다(그림 8-10).

만일 염증이 생겼다면 항생제와 소염제 복용을 시작해보고, 1주일 정도의 치료에도 반응이 없다면 실을 제거한다.

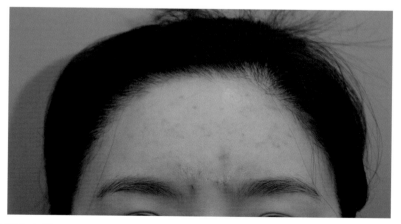

그림 8-10. 미간 모노실 삽입 후발생한 염증반응

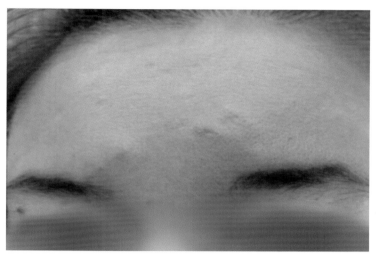

그림 8-11. 이마와 미간 실리프팅 시술 후 발생한 염증 반응

SECTION 9

신경손상(Nerve injury)

실 리프팅 후 신경 손상이 일어나는 경우는 극히 드문 일이지만, 시술 시 최대한 조직손상이 일어나지 않도록 부드럽게 시술하고, 신경이 많이 지나가는 곳은 피한다. 가급적이면 바늘보다는 캐뉼라를 이용하면 신경손상의 위험성을 줄일 수 있다.

시술 후 눈이 안감기거나 입 꼬리가 처지는 마비 현상이 흔히 생기기도 하지만 대부분이 마취에 의한 일시적인 현상이므로 하루 정도 지나면 해결이 된다.

SECTION 10

흉터

일반적으로 실 리프팅은 가는 바늘을 사용하여 시술하기 때문에, 흉터가 크게 남는 경우는 없지만, 켈로이드 등의 소인을 가지고 있는 경우 바늘 자국들이 예상보다 오래가는 경우들이 있기 때문에 미리 확인하도록 한다.

매우 드물게 시술부위에 탈모가 발생한 경우가 있는데, 아마도 실이 표층에 삽입이 되어 모낭을 손상시켰을 가능성이 높다고 생각이 된다. 따라서 두피 부위에 실 리프팅 시술을 할 때에는 가급적 깊은 층에서 시술이 이뤄지도록 하는 것이 중요하다.

SECTION 11

침샘손상 (Parotid gland injury)

매우 드문 부작용으로 이하선의 손상으로 인한 부작용이 발생 할 수 있다. 만일 시술 후 이하선 부위가 부어오르면서 통증이 있다면 이하선의 손상도 의심을 해봐야 한다. 이하선 손상으로 의한 추가적인 부작용(피부 누공: skin fisula)이 발생할 수 있으므로 우선 강력한 광범위 항생제를 사용하여 적극적으로 치료한다(표 8-1).

이런 부작용을 피하기 위해서는 실을 삽입하는 캐뉼라를 넣을 때 피부를 꼬집듯이 잡고 깊게 들어가지 않게 조심해야 한다.

표 8-1. 침샘손상

1) comprsession
2) serial aspiration
3) medical Treatment 　예방적인 항생제 치료 : 5–7일 　오구멘틴(Augmentin) 500 mg 하루 3회 복용 　독시싸이클린(Doxycycline) 100 mg 하루 2회 복용(페니실린 앨러지 경우)
4) Botulium toxin A : 아세티콜린 억제 효과를 위해서 사용하기도 한다.

색인